LA RÉVOLUTION
DE L'AMOUR

R.P. JEAN-PAUL REGIMBAL, O.SS.T.

Gilles de saint Paul
9 nov. 1981

la RÉVOLUTION de L'AMOUR

R.P. JEAN-PAUL REGIMBAL, O.SS.T.

Stanké

Montréal-Paris

Couverture: Studio ADHOC

ISBN 2-7604-0132-4

Dépôt légal: 3e trimestre 1981
Imprimé au Canada
81   82   83   84   85   1   2   3   4   5

Ce livre est dédié

à la douce mémoire de deux jeunes,

Jacques et Jean-François,

qui connaissent maintenant

le vrai visage de l'amour,

parce qu'ils le contemplent face à face

Nihil obstat:
  R.P. Jean Girouard, o.m.i.,
  censeur délégué ad hoc

Imprimi potest ex parte Ordinis:
  R.P. Claude Choquet, o.ss.t.,
  ministre provincial

IMPRIMATUR:
  Mgr. Louis de Gonzague Langevin, p.b.
  évêque de St-Hyacinthe.

  le 15 juin, 1981

TABLE DES MATIÈRES

Reconnaissance

Ce livre n'aurait jamais paru sans la précieuse collaboration de toute une équipe de personnes qui, par amour et délicatesse, ont fourni leur temps, leurs talents, leur créativité et leur dévouement au service de Jésus-Christ, de l'Évangile, de l'Église et de la jeunesse.

En particulier, je voudrais exprimer ma gratitude la plus sincère à ma secrétaire, Soeur Thérèse Corriveau, ainsi qu'à M. Lucien Lambert, à Mlle Murielle Daigle, à Mme Françoise Dubé et à chacune des personnes qui ont fait la transcription des cassettes (dont Mmes Germaine Racine, Michèle Rainville et Doris Côté), la vérification des textes et la présentation finale de ce manuscrit. Comme je ne peux exprimer à tous ma reconnaissance et mon admiration, je demande à chaque Personne de la Très Sainte Trinité de rendre à qui de droit le centuple en grâces et en bénédictions pour le soutien, la contribution et l'enrichissante communion que j'ai reçus.

J'adresse un merci tout particulier aux hommes d'affaires et aux institutions, surtout au Carrefour de la Prière Granby Inc., pour le support généreux qu'ils ont fourni afin d'assurer la parution de ce livre et de financer sa diffusion.

Message à la jeunesse

J'ai un message à vous transmettre, à vous tous, les jeunes, garçons et filles, qui avez dix-huit, vingt ou vingt-cinq ans. Ce n'est pas Jean-Paul Regimbal qui a des choses à vous dire! Ce n'est même pas Jean-Paul II qui a des choses à vous dire! C'est le Christ lui-même qui a un message à transmettre à la jeunesse que vous êtes, une jeunesse qui vit actuellement des pages uniques d'Histoire... N'oubliez pas que vous êtes marqués par une conjoncture socio-politique, sur la scène provinciale et même nationale, et surtout que vous vivez à une époque qu'on pourrait appeler «de crise civilisationnelle».

Et l'enjeu est d'une importance telle que les jeunes d'aujourd'hui n'ont d'autre façon d'envisager l'engagement chrétien qu'en terme de révolution...

Ne sursautez pas! Je viens vous entretenir de révolution, et tout ce qui suit traitera de ce sujet.

Toi, jeune homme; toi, jeune fille: je t'invite à prendre le temps de me lire, jusqu'au bout. Tu comprendras ainsi toute la portée du message que te livrent les pages qui suivent...

PREMIÈRE PARTIE

LA RÉVOLUTION
DE L'AMOUR
ET
LA PERSONNE HUMAINE

Ouvre grands tes deux bras

Denis Veilleux

REFRAIN: *Ouvre grands tes deux bras*
Viens près de mon coeur
J'ai des choses à dire   (bis)
Je suis ton ami.

1. *Je suis à la porte*
   Tout près de ton coeur
   Je suis à la porte
   C'est moi le Seigneur
   Je connais ton nom
   Je sais qui tu es
   Et je t'aime.

2. *J'ouvre grande la porte*
   Tout près de mon coeur
   J'ouvre grande la porte
   C'est pour toi Seigneur
   Je connais ton nom
   Je sais qui tu es
   Et je t'aime.

CHAPITRE I

LA RÉVOLUTION DE L'AMOUR PAR LA RÉVOLUTION DU CORPS

UN PEU D'HISTOIRE

Depuis 1950, notre monde a été secoué par toutes sortes de révolutions. En Chine, on a assisté à la Révolution culturelle, et vous vous souvenez sûrement, pour l'avoir lu, comment les gardes rouges ont mis à feu et à sang leur propre pays et comment, pendant trente ans, la jeunesse chinoise a été embrigadée dans un gigantesque mouvement dont les fruits ont été amers et dont les quatre grands dirigeants ont finalement échoué devant les tribunaux.

En 1957, une autre forme de révolution a éclaté, sexuelle celle-là, et elle a déferlé sur la jeunesse du monde, pour l'immerger de toute la boue qu'on a pu ramasser dans les bas-fonds de la pornographie universelle. En 1960, le Québec a connu la révolution dite tranquille, qui a bousculé beaucoup de choses, notamment le monde de l'éducation, et ce sont nos jeunes des polyvalentes et des CEGEPS qui ont dû en payer les frais. La «jeunesse cobaye» de chez nous a alors été la première victime de certaines idéologies, *malgré elle* et souvent à son *insu*. Et cette révolution s'est traduite par des situations flagrantes et parfois très douloureuses! Vous voulez des chiffres? En 1980, au Québec seulement, 419 jeunes se sont suicidés, et 72 000 jeunes filles de treize à dix-neuf ans se sont fait avorter!

Ensuite, on a tenté d'amorcer des révolutions économiques, et l'on prétend maintenant nous faire vivre des révolutions politiques. Quoi d'autre? Et qui paie la note? Les jeunes! Vous-mêmes, qui ne savez plus où est la vérité et qui, inquiets, cherchez à comprendre qui a raison… Car la jeunesse veut savoir! Les jeunes sont remplis d'espoir et vivent dans l'attente, assoiffés de liberté et de bonheur!

LA RÉVOLUTION DE L'AMOUR

Or, la seule révolution qui n'ait pas été tentée, c'est celle de l'Amour! Aujourd'hui, je déclare engagée, à tous les jeunes qui veulent m'écouter, LA RÉVO-LUTION DE L'AMOUR!

Ce sera le geste collectif d'une jeunesse, non pas révoltée, mais *résolue* — et bien *résolue* — à s'impliquer dans une révolution qui se fera en Jésus-Christ, par l'Évangile. N'oublions pas que cette révolution ne triomphera que grâce à l'unité qui devra nous caractériser: «UN SEUL SEIGNEUR, UNE SEULE FOI, UN SEUL BAPTÊME, UN SEUL ESPRIT, UN SEUL RÉ-DEMPTEUR, car nous n'avons qu'un seul Dieu et Père.»[1]

Le programme que je vous propose implique votre engagement total à l'Amour, qui unit plutôt que de diviser, qui donne plutôt que d'exploiter, qui épanouit plutôt que de refermer et de refroidir.

Cette révolution doit d'abord se vivre au niveau de l'amour même. On a trop souvent galvaudé l'amour: on l'a méprisé, rapetissé et méconnu, au point qu'on se contente aujourd'hui de «faire l'amour» et d'essayer des recettes que nous livrent des exploiteurs sans conscience, parce qu'on n'a pas encore compris ce qu'était le véritable Amour.

_____

(1) Ephésiens 4:4-6

Je suis convaincu que vous tous, les jeunes, avez plus que jamais faim et soif d'aimer et d'être aimés. Chaque jour, on vous offre en pâture toute la gamme des modules d'amour, qui ne pourront jamais satisfaire votre coeur, et encore moins votre appétit! Tout au fond de vous-mêmes, vous devinez bien qu'on cherche à vous exploiter. Or, quand on aime, on n'exploite pas. Quand on aime, on respecte l'être aimé! L'amour que vous serine la chanson, l'amour que vous livre la télévision ou le cinéma, l'amour que vous racontent les auteurs de bas étage n'est et ne sera jamais qu'un amour *à fleur de peau*. Et vous, les jeunes, en avez marre de cet amour de surface; vous en avez la nausée, pour la bonne raison que vous voulez vivre un grand Amour, l'Amour profond et durable de l'être tout entier, corps et âme.

DIEU EST AMOUR

La première condition qu'il vous faut remplir pour participer à cette révolution à laquelle je vous convie, c'est de croire à l'Amour qui ne finit pas, à l'Amour plus fort que la mort, à l'Amour qui ne se résume pas à un sentiment de passage, mais qui se traduit en une Personne. «En ceci est apparu l'amour de Dieu pour nous, qu'Il nous a donné son Fils unique Jésus-Christ, non pour condamner, mais pour sauver. Il n'y a pas de plus grand amour que de donner sa vie pour ceux qu'on aime». [1]

Si vous relisez l'Histoire, vous constaterez qu'aucun des grands révolutionnaires n'a donné sa vie pour les autres. Sans doute, ont-ils livré des messages, des stratégies et parfois galvanisé des troupes à leur idéologie,

---

(1) 1 Jean 3:16; Jean 15:13

mais au plus fort de la tourmente, ils ont pris bien soin de se défiler, quitte à sacrifier ceux qui marchaient à leur suite. Jésus est le seul à nous avoir aimés jusqu'au sacrifice de sa propre vie. Il est venu dans notre monde nous apprendre un type de charité, une qualité d'Amour qui n'a aucun lien avec l'«Eros» qu'on voit affiché partout. Bien qu'il ne s'agisse pas pour autant de mépriser les valeurs du véritable érotisme.

Le Christ est venu nous tenir un autre langage: celui de l'«agapè».[1] Car, jamais l'érotisme, quoi qu'on en dise, ne conduira à la résurrection de la chair. Et cet «agapè», qu'Il a puisé dans le sein du Père, Il nous l'a communiqué par l'Esprit Saint. «L'agapè a été répandu dans nos coeurs par l'Esprit Saint».[2] Le point de départ de cette révolution, à laquelle je vous invite à prendre part, c'est précisément cet Amour «agapè».

«Tu aimeras le Seigneur ton Dieu de tout ton coeur, de toute ton âme, de toutes tes forces, de tout ton esprit, et tu aimeras ton prochain comme toi-même».[3] Voilà le commandement d'Amour du Seigneur, le résumé de tout son Évangile.

Comme vous pouvez le voir, il n'y a pas grand érotisme dans le contenu de cette déclaration du Maître. Et pourtant, ce message a eu le don de transformer ceux et celles qui l'ont reçu et compris, et il pourrait changer la face de notre société, si celle-ci le voulait. Je ne veux pas faire de vous des révoltés, mais préparer des jeunes, qui comprendront et accepteront le message d'amour du Christ.

---

(1) AGAPÈ: amour qui prend sa source en Dieu et qui est diffusé dans nos coeurs par l'Esprit Saint.

(2) Romains 5:5

(3) Luc 10:27

LE MESSAGE DU CHRIST DÉRANGE NOTRE QUIÉTUDE

Jésus n'est pas venu établir sur la terre des hommes un climat de tranquillité. Il a apporté une Parole, qu'Il présente comme un glaive. Et Il a ajouté que sa parole diviserait ceux qui l'entendraient: des gens pour; des gens contre! «Celui qui n'est pas pour moi, est contre moi. Celui qui n'amasse pas avec moi, disperse».[1] Jésus — ne l'oublions pas — n'était pas un bonhomme de paille, inconsistant, peureux et pleurnicheur. Il avait tout de celui qui s'affirme et qui tranche, au grand désespoir des conformistes de son époque. Sa parole continue de déranger le monde et de nous déranger... Il faudrait systématiquement faire table rase de toutes ces idoles pseudo-chrétiennes, qui nous présentent un Jésus «bonbon rose», débonnaire et conciliant.

Le Jésus que je vous prêche est le *libérateur de l'Homme*, et Il n'a pas craint de descendre au coeur de la réalité humaine pour inaugurer et déclencher la plus radicale des révolutions, en faisant participer l'Homme pécheur au privilège de sa divinité. Pas un révolutionnaire, si grand fût-il, n'a pu réaliser un tel exploit! Il fallait un Dieu pour le faire. Comparés au Christ, tous les révolutionnaires de l'histoire n'ont été que des caricatures! Cessons de nous laisser impressionner par tous ces grands personnages qu'on a élevés sur des piedestaux, même de leur vivant, pour les descendre après leur mort. Souvenez-vous de MAO TSE TUNG, dont on voyait l'image à chaque coin de rue de la Chine communiste et qu'on a fait disparaître trois ans à peine après sa mort.

MARX, LÉNINE, STALINE et combien d'autres ont

(1) Luc 11:23

connu le même sort! KHROUCHTCHEV, qui s'est appliqué à déstaliniser la Russie, n'y a pas échappé… Et j'en passe! Les petits révolutionnaires du Québec, qui se disent «sauveurs» et «novateurs», verront à leur tour, et plus tôt qu'ils ne le pensent, ce qu'il en coûte de «rêver»!

LA RÉVOLUTION SEXUELLE PAR L'AMOUR

La RÉVOLUTION DE L'AMOUR passe nécessairement par la sexualité. Sur ce point, il n'y a aucune hésitation possible! Il n'existe aucune authentique révolution de l'Amour, qui ne soit d'abord une révolution de la sexualité. Mais attention! Je ne me réfère pas ici à cette sexualité à laquelle vous pouvez peut-être songer! À partir de 1981, nous annonce-t-on, sera instauré DANS TOUTES LES ÉCOLES DU QUÉBEC un programme obligatoire d'éducation sexuelle. Je viens d'en prendre connaissance, et je considère qu'on ne nous propose rien d'autre que l'éducation sexuelle du cheptel humain québécois. Appelons les choses par leur nom! On donnerait des cours de gynécologie à des animaux, et l'on aboutirait presque au même résultat!

Vous tous, chers jeunes, mes amis, je vous respecte et vous estime trop pour concevoir qu'on puisse vous obliger à vous vautrer dans la boue! Vous êtes faits pour rester debout, dans toute la vigueur et la force de votre généreuse sexualité, une sexualité assumée et responsable, une sexualité respectueuse et victorieuse. Je vous reconnais assez de maturité, de noblesse et de force, parce que je vous sais *enfants de Dieu*. Je refuse de croire que la voie royale de l'épanouissement humain doive nécessairement passer par les organes génitaux. La voie de la révolution vers la dignité passe d'abord par le coeur, l'esprit et la volonté. Et la sexualité est intégrée dans la personnalité globale qui, elle, exprime son amour d'une façon saine, équilibrée et heureuse.

C'est bien en effet ce que les évêques du Québec nous affirment, eux aussi, lorsqu'ils nous disent:

> «L'éducation sexuelle est liée à la valeur de la personne: pour l'enfant comme pour l'adolescent, elle est d'abord affaire de climat, de conditions de vie favorables au sein de la famille, de relations humaines de qualité avec les éducateurs scolaires, autant de facteurs qui permettent au jeune d'apprendre:
>
> — à être en harmonie avec lui-même, à percevoir la réalité de son corps d'une façon positive et valorisante;
>
> — à être à l'aise, comme homme ou femme, avec les autres;
>
> — à orienter sa sexualité vers une forme concrète de vie et d'engagement (mariage, célibat);
>
> — à se former un jugement critique face aux divers messages véhiculés dans son milieu sur la sexualité».[1]

Certes, comme je l'ai déjà souligné, la révolution dont il est ici question doit passer par la sexualité. Tel est l'ordre voulu par le Créateur. Mais combien de jeunes gens ont triomphé de leur propre sexualité? Parfois, pendant des semaines et des mois, voire des années, ils ont subi un esclavage sexuel, dont ils rougissent aujourd'hui. Cependant, ils savent à quel point leur âme se tordait de douleur pendant qu'ils se vautraient dans la chair.

Je connais si bien la jeunesse québécoise que je peux affirmer qu'elle n'est pas trop heureuse dans la recherche insatiable de la jouissance physique, sous toutes ses formes. Que les appâts qu'on lui offre quotidienne-

---

(1) Comité épiscopal de l'éducation, *Une approche pastorale de l'éducation sexuelle*, p. 2, no 2.

ment sont loin de l'épanouir! Et je suis convaincu que nos jeunes ont des aspirations plus élevées. C'est d'ailleurs dans les termes suivants que les évêques du Québec définissent la sexualité:

> **«Au regard de la foi, en effet, la sexualité humaine est un merveilleux don de Dieu à l'humanité, qui est appelée à la noble vocation de l'amour».** [1]

Vous le savez: vous avez reçu le don précieux de votre corps, de votre coeur et de votre esprit pour vous construire, dans la chasteté et la maîtrise de vous-mêmes, une personnalité rayonnante et dynamique. On ne me convaincra pas que la révolution sexuelle au Québec doive nécessairement passer par les sexologues, les CLSC [2] et les CRSS. [3]

Cette révolution se fera dans le coeur de ceux et de celles qui croient assez à l'amour pour assurer la victoire de l'esprit sur la chair, de l'équilibre sur l'émotivité, grâce justement à un amour plus grand que la jouissance physique, c'est-à-dire grâce à cet amour «agapè» dont je parlais plus haut. Jamais vous ne pourrez semer dans l'érotisme ce que vous voudrez récolter dans l'esprit. Car si vous semez dans la chair, vous récolterez les fruits de la corruption. Par contre, si vous semez dans l'esprit, vous récolterez les biens de l'esprit, l'immortalité et la gloire. Vous êtes faits non pour la boue et la mort, mais pour la transfiguration et la résurrection.

L'ESPOIR DANS LA JEUNESSE

À tous les chefs politiques, je déclare qu'on ne sau-

---

(1) Comité épiscopal de l'éducation, *Une approche pastorale de l'éducation sexuelle,* p. 1, Introduction.
(2) CLSC — Centres locaux de services communautaires
(3) CRSSS — Centres régionaux de santé et de services sociaux.

vera pas le Québec dans et par la révolution sexuelle des jeunes. Vous, les quinze et vingt ans, jeunes hommes et jeunes filles de chez nous, vous êtes porteurs des promesses d'immortalité et de gloire d'un peuple qui ne supporte plus toute la corruption dont on l'inonde et qui veut enfin se tenir debout, parce qu'il a foi dans les réalités de l'amour et qu'il croit encore aux victoires de l'esprit. Aussi est-ce à vous que j'adresse mon message, assuré que je ne me suis pas trompé d'auditoire...

Si je vous tiens ce langage, c'est que je le tiens du Christ lui-même, qui s'est tourné d'abord du côté des jeunes quand le temps est venu de réaliser son projet de la Rédemption. Marie, sa mère, n'avait que seize ans et Joseph, son père, dix-neuf ans. Il s'est plu à s'entourer de la jeunesse tout au long de sa vie publique, depuis le jeune Marc, qui n'avait que quatorze ans avant de devenir l'évangéliste qu'on connaît, jusqu'au premier Pape de son Église, l'apôtre Pierre, qui avait à peine trente ans. Or, c'est aux jeunes qu'on confie la direction des révolutions! Celles-ci n'ont jamais été réalisées par des vieillards et n'ont jamais été l'oeuvre de «momies». C'est par l'action de la jeunesse d'aujourd'hui qu'on prépare les victoires de demain. C'est maintenant qu'on prépare l'an 2000, et c'est en ce moment même qu'on travaille à l'avènement de la CIVILISATION DE L'AMOUR! C'est encore aujourd'hui que vous assumez votre jeunesse pour bâtir, dans le Christ Jésus, une authentique CIVILISATION DE L'AMOUR axée sur les valeurs de l'esprit, sur la vitalité et la générosité d'une sexualité saine, équilibrée et vigoureuse. Vous vous devez de préparer les générations montantes, non plus dans la décrépitude et la dégénérescence d'une sexualité abusée, mais dans la sève jaillissante et renouvelée d'une sexualité ajustée et bien assumée: la vôtre!

Il me reste à adresser un avertissement sévère à bon nombre de nos sexologues qui, au nom d'une quelconque qualification universitaire, se croient autorisés à proposer un pseudo-programme de jouissance sexuelle aux jeunes de nos écoles, plutôt qu'une démarche éducative qui tienne compte à la fois des valeurs corporelles et des valeurs spirituelles. Car il ne faut jamais oublier que l'Homme est à la fois chair et esprit. Il est donc faux d'affirmer, comme le font certains, que le corps humain n'est rien d'autre que le siège d'un plaisir et d'une jouissance assurant un bien-être global. Ce n'est pas par les seules zones érogènes qu'on bâtit une nation, mais plutôt dans la foi en une jeunesse saine et forte qui, sans mépriser sa sexualité, sait l'assumer et la mettre au service des autres, de la société et de l'Église.

Dans un texte récent, les évêques du Québec insistaient sur la nécessité de l'éducation sexuelle:

> **«Comme toutes les autres composantes de la personnalité, la sexualité humaine requiert pour s'épanouir une éducation appropriée à toutes les étapes de la vie. La réalité sexuelle influence, il est certain, la capacité de l'être humain d'établir des relations avec les autres, de communiquer avec eux, de leur manifester de l'amitié ou de l'amour. Cette grande force de rencontre qui exprime un besoin fondamental de la personne exige d'être éclairée et orientée de façon constructive.**
>
> **Indispensable à une formation complète, l'éducation sexuelle est donc à la fois un besoin et un droit de la personne».** [1]

---

(1) Comité épiscopal de l'éducation, *Une approche pastorale de l'éducation sexuelle,* p. 1, no 1.

L'AMOUR N'EST PAS STÉRILE

Le troisième élément de cette révolution que je vous exhorte à réaliser est d'une importance capitale. J'ai parlé plus haut de l'Amour «agapè», et j'ai aussi mentionné que la RÉVOLUTION DE L'AMOUR passait par la révolution de la sexualité, mais d'une sexualité bien assumée et, bien plus, orientée vers sa plénitude de fécondité responsable.

Or, je vous le demande: peut-on parler de fécondité responsable quand on fait l'amour «à la sauvette», en utilisant des moyens contraceptifs, comme la pilule? Est-ce vraiment assumer sa sexualité que de rechercher la jouissance pour la jouissance, sans autre but que d'assouvir son plaisir égoïste? «Faites-le sans danger, n'importe où». Voilà le langage qu'on vous tient actuellement au Québec. Vous en doutez? Dans un de ses récents numéros, une revue, qu'on dit fort recommandable, publiait un article intitulé *La Sexualité, ça s'apprend!* [1] On y énumérait, à l'intention des jeunes, tout ce qui était nécessaire pour jouir sexuellement, en évitant les dangers de la conception: «Vivez librement votre sexualité, soyez sûrs de ne point concevoir!» [2]

Or, tout le message de la Rédemption repose sur un fait: «Une vierge a conçu… Et le Verbe s'est fait chair, et Il a habité parmi nous». [3] Ainsi, le troisième élément de cette RÉVOLUTION DE L'AMOUR passe par la voie d'une sexualité bien vécue et parfaitement assumée.

LA RÉVOLUTION DU LSD

Il existe une autre forme de révolution, que j'appelle

---

(1) *Acutalité:* Vol. 6, no 3, mars 1981, p. 35 à 44.
(2) Idem, p. 36, *La Sexualité des 15-20.*
(3) Jean 1:14

la révolution du LSD. Elle a débuté avec Timothy Leary, professeur à l'Université de Berkeley, en Californie, qui a trouvé la formule chimique d'un produit hallucinogène. On l'a surnommé le grand prêtre de la jeunesse américaine, et c'est lui qui a déclenché le raz-de-marée de la drogue à travers le monde. On pourrait ajouter qu'il est aussi le grand prêtre de la civilisation des drogués. À voir les fruits amers de cette révolution chimique, il y a de quoi désespérer devant tant d'inconscience! La révolution dont je parle, veut emprunter le sigle LSD: *L* — Loué, *S* — soit, *D* — Dieu! *Loué Soit Dieu!* Une acclamation de louange à Dieu! C'est la vérité qui vous rendra libres, et c'est la liberté dans le Christ qui vous mettra en état de service et de dépassement. Voilà le LSD que je propose à votre consommation quotidienne: vous en sortirez, non pas sur un *high* dangereux pour votre équilibre psycho-affectif, mais ennoblis comme les enfants de Dieu que vous êtes.

Rappelez-vous que vous avez été rachetés au prix du sang d'un Dieu et que vous êtes oints de l'onction royale, sacerdotale et prophétique. Je suis triste en voyant des temples de Dieu brûlés par toutes les fumigations de l'enfer: que ce soit par le LSD, le *pot*, le *haschisch*, ou toutes autres formes d'abrutissement chimique. Vous n'avez pas été créés, ni dans votre corps, ni dans votre coeur, pour être ainsi annihilés. Vous êtes faits pour la sainteté, pour la transfiguration, pour la gloire qui ne finit pas, car vous êtes les temples vivants de la Très Sainte Trinité.

Voilà la révolution que je veux déclencher au Québec: LA RÉVOLUTION DE L'AMOUR! Serez-vous des nôtres?…

LA PRÉSENCE DE L'ESPRIT SAINT

Toute cette démarche ne peut être effectuée que si l'on prend la peine de passer de la liberté du service au dépassement de soi-même, grâce au don de force. De quelle force s'agit-il? Celle de nos athlètes olympiques, ou celle dont nous parle l'Écriture? «Vous n'avez pas reçu un esprit de crainte ou de peur, mais vous avez reçu un esprit de force, d'amour et de maîtrise de soi».[1] Nous sommes appelés, non pas pour être des faibles, des lâches ou des démissionnaires; nous ne devons pas courber l'échine devant les pressions sociales, économiques et politiques qu'on veut nous imposer. Nous sommes faits pour être martyrs, non pas dans le sens sanglant du terme, mais dans celui de TÉMOINS qui, comme les apôtres, répondent: «Nous ne pouvons pas ne pas dire ce que nous avons vu et entendu».[2] La force de l'Esprit Saint, c'est encore ce qui peut sauver notre nation.

Malheureusement, nous sommes envahis par le mensonge. Il suffit d'écouter nos politiciens, même les plus chevronnés, pour nous rendre compte de la surenchère de promesses sans lendemain dont on nous gave, par exemple, au cours des campagnes électorales. Jamais la politique n'a sauvé un pays. Pas plus que l'économie, dont on nous chante les bienfaits à satiété. Ce qui sauve encore les peuples, c'est la volonté et la ténacité des gens remplis d'une force, d'un idéal, qui ont accepté de vivre au rythme de l'Amour et qui ont réalisé des dépassements qui les étonnaient eux-mêmes. Là, il y a eu des transformations radicales et durables!

Nous vivons à une époque où tout est compromis,

(1) 2 Timothée 1:7
(2) Actes 4:20

tant sur le plan économique et politique que social. Au niveau provincial et fédéral, nous traversons des impasses sans issue, qui nous laissent trop souvent démunis. Où est donc la solution à tous nos problèmes? La réponse viendra d'En-Haut, ou elle ne viendra pas du tout. C'est LA RÉVOLUTION DE L'AMOUR qui, vécue selon l'Esprit, pourra changer ce que notre vivilisation a de plus précieux: le coeur de l'Homme.

Améliorez les structures, multipliez les modes d'échange économique, modifiez les politiques et tentez d'équilibrer les forces en présence tant que vous voudrez: si vous n'atteignez pas le coeur de l'Homme, vous n'avez rien changé! UN SEUL peut transformer le coeur de l'Homme, et C'EST JÉSUS DANS LA PUISSANCE DE L'ESPRIT SAINT!

Vous ne ferez jamais progresser un peuple en multipliant les systèmes. C'est le coeur de l'Homme qu'il faut atteindre. Voilà la véritable révolution qu'il faut faire: LA RÉVOLUTION DU COEUR ET DE L'ESPRIT, SOUS LA CONDUITE DE L'ESPRIT SAINT.

LE LANGAGE DES STATISTIQUES

Trop souvent, les révolutions ont été déclenchées par des amateurs sans conscience, qui ont laissé un irréparable gâchis derrière eux. Voici quelques exemples que je vous livre en vrac:

Nos politiciens et nos économistes ne cessent de nous répéter que la seule façon de résoudre le problème mondial de la faim consiste à réduire le nombre d'habitants sur la terre. Au lieu de multiplier le pain, ils ont pensé supprimer les bouches autour de la table.

En trente ans, le Canada a connu 16 749 noyades et, dans la même période, les accidents de la route ont fait 129 000 victimes.

Par ailleurs, en quatre-vingts ans de guerre, nous avons perdu exactement 99 449 Canadiens, et en huit ans, la Croix-Rouge a dénombré 419 020 cas d'avortement. Il y a de quoi pleurer!

Quand un peuple en est réduit à traiter le foetus comme un ennemi dangereux et qu'il met tout en oeuvre, même les ressources de la médecine, pour tuer l'enfant dans le sein de sa mère, il court déjà à sa perte. Nous nous croyons une nation forte, et nous avons peur de la vie! Nous nous prétendons un peuple sur la voie du progrès, alors même qu'en huit ans, nous laissons tuer un demi-million d'enfants avant même qu'ils n'aient vu le jour!

Je l'avoue: j'ai honte d'appartenir à une telle nation! Voilà pourquoi je veux faire une révolution qui va rendre à la vie ses droits et qui lui accordera la primauté qui lui revient. Voici un autre exemple:

Sur le plan économique, de peur que le taux de nos ventes diminue à l'extérieur du pays, on a enfoui des centaines de millions de tonnes de nourriture plutôt que de nourrir les deux tiers de l'humanité qui meurent de faim. Et cela s'est fait chez nous, au Canada, un pays qui se dit prêt à aider le Tiers-Monde! Le Québec a suivi la même politique en ce qui a trait à ses produits alimentaires: on a détruit 491 millions de douzaines d'oeufs, au moyen d'un *bulldozer*, plutôt que de les transformer en poudre pour les pays sous-développés. Et nous nous prétendons une province bien chrétienne! Ne croyez-vous pas que le temps est venu de révolutionner notre monde égoïste et jouisseur?

Notre révolution ne doit pas être celle de la haine ou de la lutte des classes, mais bien LA RÉVOLUTION DE L'AMOUR et de la compréhension mutuelle, qui engendre des gens résolus, prêts à assumer leurs responsabilités, pour que ça change, non pas seulement au niveau des statistiques, mais dans le coeur, l'esprit et la vie de l'Homme, dans la mentalité de nos dirigeants et de nos milieux, beaucoup trop gavés, hélas! comparativement à une majorité qui ne mange pas à sa faim.

Je crois en la vie et en vous, les jeunes, qui portez l'espérance de demain. Vous êtes garants de l'an 2000. Vous bâtissez maintenant LA CIVILISATION DE L'AMOUR du siècle prochain. Vous êtes les pierres vivantes qui assurent déjà la venue d'un monde meilleur, parce vous avez accepté, aimé et proclamé Jésus-Christ comme votre Seigneur et Maître. Telle est la révolution que j'attends, non pas celle des révoltés, mais celle des jeunes résolus et accomplis!

Il n'y a pas de place ici pour les défaitistes, les égocentriques, les peureux, les frileux, les gavés de la vie. Il nous faut des gens, surtout des jeunes, évolués, qui ont une vision saine du monde et de la vie et qui croient à l'audace de la foi, fondée sur la puissance de l'Amour.

S'ils ont cette assurance, c'est que l'Esprit Saint les habite, pour leur communiquer le courage de proclamer la Vérité. Êtes-vous de cette trempe, vous, les jeunes, qui lisez ces lignes?

JEAN-PAUL II FAIT APPEL À LA JEUNESSE

Vous me permettrez de vous rappeler le message qu'adressait encore récemment le Souverain Pontife aux jeunes du monde entier. Jean-Paul II a une façon de dire certaines choses susceptibles d'attirer tout de même 50 000 jeunes au parc des Princes, à Paris, 100 000 sur la place Saint-Pierre, à Rome, et, le mercredi de chaque semaine, au même endroit, de 30 000 à

35 000 jeunes gens et jeunes filles! C'est dire qu'un grand nombre de jeunes, venus de tous les coins du monde, sont au rendez-vous de la place Saint-Pierre, chaque semaine, pour entendre la parole du chef de l'Église. Voici le message, fort à propos et bien d'actualité, qu'il leur adressait sur la sexualité:

«Chers jeunes, l'être humain est un être corporel. Cette affirmation toute simple et lourde de conséquences. Si matériel qu'il soit, le corps n'est pas un objet parmi d'autres. Le corps est d'abord quelqu'un, en ce sens qu'il est une manifestation de la personne humaine. Le corps est un moyen de présence aux autres, de communication et d'expression extrêmement variées. Le corps est une parole; le corps est un langage. Quelle merveille et quel risque en même temps!

Jeunes gens et jeunes filles, ayez un très grand respect de votre corps et du corps des autres. Que votre corps soit au service de votre moi profond; que vos gestes, que vos regards soient toujours le reflet de votre âme. Adoration du corps, non jamais; mépris du corps, pas davantage! Oui, maîtrise du corps, plus encore: transfiguration du corps!

Il vous arrive souvent d'admirer cette merveilleuse transparence de l'âme chez beaucoup d'hommes et de femmes, dans l'accomplissement quotidien de leur tâche humaine. Pensez à l'étudiant, au sportif; pensez à tous ceux qui mettent leurs énergies physiques au service de leur idéal respectif! Pensez aux papas et aux mamans, dont le visage penché sur leur enfant respire si profondément les joies de la paternité et de la maternité! Pensez à ceux qui exigent de leur corps la perfection de l'artiste, du musicien, du maître de l'art! Je vous souhaite, chers jeunes, de relever le défi de ce temps et d'être tous et toutes des champions et des championnes de la maîtrise chrétienne du corps. Le sport bien compris et qui renaît aujourd'hui, au-delà des cercles des professionnels — et c'est un sportif qui parle —, est un très bon adjuvant.

Cette maîtrise est déterminante pour l'intégration de la sexualité à votre vie de jeune et d'adulte. Il est difficile aujourd'hui de parler de sexualité, dans une époque marquée par un défoulement qui n'est pas sans exploration, mais qui, hélas, favorise une véritable exploitation de l'instinct sexuel.

Jeunes du monde qui m'entendez, l'union des corps a toujours été le langage le plus fort que deux êtres puissent se dire l'un à l'autre, et c'est pourquoi un tel langage, qui touche au mystère sacré de l'homme et de la femme, exige qu'on n'accomplisse jamais les gestes de l'amour sans que les conditions d'une prise en charge totale et définitive de l'autre soient assumées. Et que l'engagement soit pris publiquement dans le saint mariage.

Jeunes du monde, gardez ou retrouvez une saine vision des valeurs corporelles».[1]

En entendant ce message, 50 000 jeunes se sont quand même levés et ont proclamé l'audace d'un homme qui osait parler ce langage! Aujourd'hui, combien d'autres tiennent de tels propos de vérité?

On aime mieux vous faire croire qu'*il faut que jeunesse se passe!* On préfère vous entendre dire: «*Que voulez-vous? Nous sommes faibles!*» On veut vous laisser croire que vous n'êtes que des poltrons, en quelque sorte, ou les fantoches de corps désaxés, animés d'une obsession sexuelle chronique.

C'est faux! Ce n'est pas la jeunesse que je connais et que j'admire! Ce n'est certes pas la jeunesse qui lit ce message et qui entend le vivre! Du moins, je l'espère.

LE LANGAGE DES COMMANDEMENTS DE DIEU

Je suis convaincu que vous, les jeunes, avez tout le

---

(1) Jean-Paul II, *Discours aux Jeunes*, Palais des Princes, juin 1980, Ed. Centurion, Paris, 1980, p. 181.

potentiel de l'amour pour vivre une saine et heureuse sexualité.

Et j'en trouve la preuve justement dans ce passage, où Jésus rencontre le jeune homme riche.

Ce dernier lui demande:

— Que dois-je faire pour obtenir la vie éternelle?

— Observe les commandements, lui répond le Maître. Tu aimeras ton père et ta mère. Tu ne commettras pas l'adultère. Tu ne voleras pas ton prochain. Tu ne tueras pas.

— Seigneur, je fais cela depuis ma naissance!

— Alors, lui dit Jésus, puisque tu fais cela depuis toujours et que tu veux être parfait, vends tes biens aux pauvres et suis-moi.[1]

Allez-vous me faire croire que les jeunes d'aujourd'hui sont trop lâches pour vivre selon les Commandements de Dieu?

Je ne le crois pas! L'erreur, c'est que ces Commandements, on ne les connaît pas et qu'on n'ose plus les proclamer. D'ailleurs, il ne faut pas s'imaginer qu'ils nous ont été donnés pour nous tyranniser et pour brimer notre liberté.

Rien de plus faux! Quand le Seigneur dit: «L'oeuvre de chair ne désireras qu'en mariage seulement,»[2] c'est qu'Il veut qu'on se prépare à la grande aventure de la fécondité et de la paternité. Et ce n'est qu'en mariage seulement qu'on retrouve les conditions indispensables qui permettent à l'amour de s'épanouir pleinement et de façon durable.

Toutes les expériences pré-maritales ne peuvent pas conduire à la maturité du don de soi à l'autre. Ce qui se

---

(1) Marc 10:17-22
(2) Cf. Exode 20:17; Mathieu 19:1-9

prostitue, c'est plutôt l'amour, et les fruits de la prostitution sont le dégoût, la lassitude et le désespoir...

Dieu nous tient un langage de confiance et d'espoir. Par la bouche de David, au Livre des Rois, Il nous dit:

> **«Sois fort et montre-toi un homme... Tu suivras les observances du Seigneur ton Dieu, en marchant selon ses voies, en gardant ses lois, ses commandements, ses ordonnances et ses instructions, selon qu'il est écrit dans le Livre de Moïse, afin que tu réussisses dans toutes tes oeuvres et dans tous tes projets»** [1]

N'est-ce pas ce que vous voulez, vous, les jeunes d'aujourd'hui? Réussir dans toutes vos entreprises et réaliser vos projets?

Les Commandements de Dieu ne sont pas les ordonnances d'un père fouettard à des fils dénaturés. C'est le langage d'un Père qui veut vous protéger des faux pas et qui vous répète:

«Prends-toi de telle façon et tu verras. Tes projets seront assurés jusqu'à la plénitude».

«Impudique point ne seras, ni de chair, ni de consentement». [2] Cette ordonnance ne vous invite pas à mépriser votre corps, ni à fuir la beauté et l'excellence réalisées dans vos corps d'homme et de femme! femme!

Le Seigneur demande que l'on traite dignement les choses saintes: «Je vous ai faits à mon icône et à ma ressemblance». [3] Quand on exhibe des toiles de grand prix, par exemple un REMBRANDT, dans les musées de Hollande, de France ou d'Italie, on prend soin de

---

(1) 1 Rois 2:2-5
(2) Exode 20:14
(3) Genèse 1:26

les protéger, de les entourer d'un cordon où on lit: *Ne pas toucher*. Pourquoi? Parce que ces oeuvres de grande valeur sont exposées pour être admirées, et non pour être salies par les mains des visiteurs. Pourtant, ce ne sont que des toiles à prix d'argent. Or, vous, vous êtes les icônes de la Trinité! N'importe qui pourrait vous salir?

Accepterez-vous, pour des amours folichonnes, de compromettre le grand prix que vous valez aux yeux de Dieu?

Quand le Seigneur nous dit: «Impudique point ne seras, ni de chair, ni de consentement!»[1], Il veut nous signifier: ce que je vous ai donné de plus précieux, gardez-le saintement dans le respect, et cultivez les richesses d'amour déposées dans vos coeurs; elles permettront à vos corps de rayonner de l'éclat de la gloire, pour laquelle je les ai faits. Et quand vous pourrez assumer une paternité, une maternité responsable, vous serez en état d'icône pure.

Voilà l'appel de Jésus!

Voilà le langage de l'Évangile!

Vous comprenez maintenant pourquoi certains tentent parfois de vous faire croire que les Commandements de Dieu sont des tabous transmis par l'Église!

Pour ma part, je souhaite que les jeunes aient suffisamment d'audace pour réfuter les insanités de certains pseudo-sexologues, qui n'ont d'autre chose à vendre que des aberrations plus monstrueuses les unes que les autres sur les libertés sexuelles.

Si je tiens ce langage, c'est que je crois à l'Amour, que j'ai confiance dans la jeunesse, que le Christ est Vérité et que l'Esprit Saint remplira de sa force ceux et

---

(1) Exode 20:14

celles d'entre vous qui auront compris le message que je viens de vous livrer.

Une fois de plus, je déclare ouverte LA RÉVOLUTION DE L'AMOUR au Québec.

INVITATION À LA JEUNESSE

Dès maintenant, nous mettons en marche ce mouvement gigantesque qu'on appelle LA CIVILISATION DE L'AMOUR pour l'an 2000. On ne l'improvisera pas, et personne ne l'imposera… On l'accueillera, on l'assumera, on la vivra et on la propagera.

LA RÉVOLUTION DE L'AMOUR, dont je viens de vous entretenir, n'est pas un simple tape-à-l'oeil. Elle s'inspire des grandes directives de Paul VI, reprises par Jean-Paul II au début de son pontificat.

N'oublions pas que nous disposons de peu de temps pour que se réalise LA CIVILISATION DE L'AMOUR, d'ici l'an 2000. Autrement, l'humanité connaîtra un holocauste sans précédent.

Les victimes des bombardements et des exterminations massives des camps de concentration, lors de la dernière Guerre mondiale, sont à peine oubliées que l'humanité court déjà au-devant de calamités plus grandes, si elle ne choisit pas très bientôt l'option radicale de l'amour pour éteindre les volcans de la haine.

Cette RÉVOLUTION DE L'AMOUR commence par un cri, destiné au Québec et au monde: NOUS EN AVONS ASSEZ DE VOS RÉVOLUTIONS PERVERSES: NOUS CROYONS DANS LA RÉVOLUTION DE L'AMOUR, AUJOURD'HUI!

Déjà, nous découvrons la signification de la révolution inaugurée par le Christ dans sa rédemption, car c'est en Lui seul que s'opère la réconciliation entre l'Homme et Dieu. Lui seul a vaincu le monde, la mort et le péché par la victoire de sa croix.

Toi, jeune homme, et toi, jeune fille, qui crois, qui aimes et qui espères, seras-tu de cette RÉVOLUTION DE L'AMOUR? Le Christ t'attend!

LA RÉVOLUTION DE L'AMOUR PASSE PAR LA RÉVOLUTION DU CORPS

Le premier objet de cette RÉVOLUTION DE L'AMOUR est la révolution du corps. La personne humaine n'est pas une abstraction, un concept: elle est constituée d'un corps, d'un coeur et d'un esprit.

L'Homme a été fait à l'image et à la ressemblance de Dieu: il est l'icône de la Trinité. Le mot *corps* est une traduction du grec *soma,* et le mot *âme* provient du grec *psukhê* (d'où l'élément *psycho* et ses dérivés: psychologie, psychiatrie, psychopédagogie) et de la racine *pneuma*, qui signifie *souffle*, esprit. Voilà l'Homme! *Ecce homo*! Voilà l'être humain créé à l'image de Dieu!

D'ailleurs, tout le mystère chrétien est essentiellement fondé sur l'incarnation du Verbe: «Le Verbe s'est fait chair et Il a habité parmi nous». [1] Cette simple déclaration est révolutionnaire, car le corps humain n'est pas seulement un amas de matière, un ensemble d'atomes et de cellules reliées entre elles, selon certaines lois biochimiques. Le corps humain est, d'abord et avant tout, don et chef-d'oeuvre de Dieu. Dans chacune comme dans toutes ses composantes, il révèle l'intervention d'un être suprême. En effet, malgré des recherches séculaires, personne n'est encore parvenu à reproduire une copie de l'organisme humain, qui se perpétue depuis des millénaires, avec des ressemblan-

_____

(1) Jean 1:14

39

ces et des divergences qui étonnent et renversent toutes les spéculations des savants.

Votre corps est le chef-d'oeuvre d'un Dieu Amour! Votre corps est issu et conçu dans l'Amour! Votre corps est fait pour l'Amour! Votre corps a été constitué par Amour! Et votre corps est au service de l'Amour!

Voilà toute la vérité et rien de plus. Vous comprenez alors l'aberration du monde, quand il vous parle du corps-objet. On a connu l'ère de la femme-objet, on vit actuellement celle de l'homme-objet. La photographie, l'image, les médias de toutes sortes, le cinéma et même tous les autres arts s'évertuent à nous exhiber le corps humain uniquement comme objet de jouissance.

On a dépersonnalisé le corps en l'isolant de tout ce qu'est l'Homme. Et comme on a méconnu le corps, on l'a méprisé, avili. Le corps humain a été réduit à des fonctions biologiques ou génétiques, mais on a oublié qu'il était aussi la *personne*. Et c'est là que réside l'erreur fondamentale: des semeurs de mensonges qui exaltent le corps en aliénant, au départ, l'âme et l'esprit.

Souvenez-vous de l'enseignement de Jean-Paul II, que je vous citais plus haut: «Que vos gestes, que vos regards soient toujours le reflet de votre âme».[1] Le corps, l'âme et l'esprit sont inséparables dans la personne. Il n'y a pas le corps d'un côté, l'âme de l'autre et l'esprit fiché ailleurs; tout cela forme un tout dans l'être humain, qui s'appelle la *personne*.

Vos corps physiques sont des merveilles de vie. Or, bien que l'Homme ait été blessé par le péché originel, il n'en reste pas moins qu'il a été restauré d'une façon plus admirable encore par la Rédemption.

En effet, lorsque le Verbe a voulu sauver l'Homme,

---

(1) Jean-Paul II, *Discours aux Jeunes*, Palais des Princes, juin 1980.

Il s'est fait chair. Il n'a pas voulu jouer à un Dieu absent et lointain, caché en quelque sorte dans les nuages. Il s'est impliqué dans la pâte corporelle de notre être charnel. C'est tout l'Homme et toutes les parties de l'être humain qu'Il a assumés, pour permettre au corps de s'épanouir un jour dans l'immortalité et la gloire.

Voilà où se situe tout le mystère chrétien!

LA MERVEILLE DU BAPTÊME

D'ailleurs, le jour de votre baptême, on a d'abord lavé votre corps avec l'eau sainte, en la répandant sur votre front. Et je sais que, depuis quelque temps, on donne un bain total à l'enfant, en l'immergeant. J'ai hâte de voir cette coutume se généraliser. En d'autres mots, on plonge tout entier le corps du nouveau-né dans le mystère de la mort et de la résurrection de Jésus-Christ.

Ce n'est plus seulement un symbole: c'est un sacrement qui produit ce qu'il signifie.

Une fois terminé l'acte baptismal, on procède à une triple consécration. Avec le saint chrême, on oint la tête de l'enfant en y traçant trois grandes croix, pour le constituer prêtre, prophète et roi. On n'utilise pas le saint chrême à n'importe quelle occasion. On l'emploi lors de l'ordination des prêtres et de la consécration des évêques, des autels et des calices. Et quand on consacre un autel ou un calice, on ne fait qu'une onction à la grandeur de la table ou à l'intérieur de la coupe. Lors de son baptême, un enfant est marqué de trois onctions: «Je te consacre prêtre, prophète et roi au sein du royaume».[1]

En somme, ce corps physique que vous contemplez

_____

(1) Liturgie du baptême, cf. Nouveau Rituel.

dans le miroir de votre chambre, que vous admirez ou méprisez, est marqué d'une triple onction de sainteté. En d'autres termes, il a été sacré et choisi, en vue du service exclusif de l'Amour. Tel est le sens profond de cette RÉVOLUTION DE L'AMOUR à laquelle vous êtes invités!

Tant et aussi longtemps qu'on n'a pas compris l'impact révolutionnaire du baptême, on mène sa petite vie d'une façon terre à terre. On fait servir son corps, tantôt pour louer Dieu, mais tantôt aussi pour l'offenser! Voilà l'anomalie de ceux et celles qui n'ont pas saisi que leur corps est porteur du souffle de l'Esprit Saint depuis le jour de leur baptême. Saint Paul clamait aux païens nouvellement convertis: «Vos corps sont les temples du Saint-Esprit; ne vous servez pas des membres du Christ pour les livrer, la nuit, aux courtisanes!»[1]

Ce langage de l'apôtre n'est-il pas assez clair?

En d'autres mots, vos corps appartiennent à Dieu; tous vos sens et vos membres sont la propriété du Christ. Comment pourriez-vous les corrompre dans les plaisirs d'une nuit d'orgie?

Paul parlait aussi franchement aux nouveaux baptisés, récemment sortis du paganisme.

Moi, je m'adresse à des chrétiens de douze, quinze, vingt et vingt-cinq ans, qui ont une longue expérience chrétienne, mais qui n'ont pas encore compris les vérités fondamentales de leur baptême!

Réfléchissez, chers jeunes, sur l'engagement et la grandeur de votre baptême, et toute votre vie en sera illuminée.

(1) 1 Corinthiens 6:19

VOTRE CORPS EST LE CHEF-D'OEUVRE DE LA TRINITÉ

Le corps humain n'a pas été conçu pour le seul plaisir des sens, le bien-être et la satisfaction charnelle. Il ne faudrait pas croire que les sexologues sont les seuls détenteurs tranquilles de la vérité, et que nous sommes les victimes de tabous religieux, transmis par des parents qui ont cessé d'évoluer.

Si LA RÉVOLUTION DE L'AMOUR que nous inaugurons est véridique, vous allez vous lever d'un seul coeur et d'une seule âme, vous, les jeunes, qui avez reçu un même baptême et une même foi, pour lancer à tous ces charlatans de mensonge: *Gardez votre boue pour vos semblables: notre corps appartient à Jésus-Christ! Nous avons foi en la valeur intrinsèque de notre corps, parce que nous sommes des baptisés, des confirmés et des consacrés!*

À vous les jeunes, le Pape Jean-Paul II lance cet appel:

> **«Je souhaite que vous releviez le défi de notre temps et que vous soyez tous des champions de la maîtrise chrétienne du corps».** [1]

Il est faux de penser qu'on ne peut obtenir la maîtrise de soi que par la satisfaction sexuelle et l'épanouissement des sens débridés et ce, dès les premiers signes de i'adolescence. Vous savez qu'il n'y a rien de plus faux, puisque notre corps est le chef-d'oeuvre de la Trinité, consacré d'une triple onction royale, sacerdotale et prophétique. En outre, le baptême nous a dotés de chasteté d'une part, et de tempérance d'autre part.

Pourtant, chers jeunes, tant de mensonges circulent sur les mérites de la chasteté. On a cru et l'on croit encore dans plusieurs milieux que cette vertu n'est

---

(1) *Jean-Paul II parle aux jeunes*. Messagers de la Bible, Québec 1980, p. 7-8; Ed. du Centurion, Paris 1980, p. 181.

rien d'autre que l'abstention névrotique d'activités sexuelles légitimes, tandis qu'en réalité, elle est le sommet de l'équilibre humain, qui commande au corps et soumet ce dernier aux valeurs de l'esprit. Pour être chaste, il faut être équilibré, et pour être tempérant, il faut d'abord être tempéré. Rien de plus simple! Rien de plus vrai!

C'est d'ailleurs l'enseignement que nous livre Jean-Paul II dans l'*Osservatore Romano* du 3 février 1981: «Le respect du corps force l'ordre spirituel».[1] En d'autres termes, si tu veux que ton esprit atteigne un certain degré d'équilibre et d'épanouissement, sache développer le respect de ton corps et celui des autres.

Le Souverain Pontife nous rappelle le message de saint Paul, dans sa première épître aux Thessaloniciens:

> «Voici quelle est la volonté de Dieu sur vous: c'est votre sanctification et que vous vous absteniez d'impudicité; que chacun de vous sache user de son corps, qui lui appartient, avec sainteté et respect, sans se laisser emporter par la passion, comme font les païens qui ne connaissent pas Dieu».[2]

Dans la même lettre, Paul poursuit:

> «Dieu ne nous a pas appelés à l'impureté, Dieu ne nous a pas appelés à la fornication: Dieu nous a appelés à la sanctification. Dès lors, qui rejette cela, ce n'est pas un homme qu'il rejette, c'est Dieu Lui-même, qui vous a fait don de son Esprit Saint».[3]

Et le Pape continue:

> «La pureté, dont nous parle saint Paul, se manifeste dans la maîtrise de soi-même. Que l'homme sache user de son corps avec sainteté et respect, sans se

(1) Jean-Paul II, *Discours du 28 janvier 1981*, Osservatore Romano, no 5, p. 12.

(2) 1 Thessaloniciens 4:3-5

(3) 1 Thessaloniciens 4:7-8

laisser emporter par la passion; que la passion soit la jalousie, l'orgueil, la vanité, la colère, la haine ou la sensualité». [1]

Car le corps est profondément secoué dans son évolution et son équilibre chaque fois qu'une passion vient perturber le métabolisme de son organisme.

À titre d'exemple, il m'est arrivé, comme criminologue, de procéder à des autopsies. J'ai vu des coeurs, qui étaient noirs comme du charbon. Ces pauvres gens avaient tellement vécu dans la haine qu'au moment de respirer, ils ne parvenaient pas à se libérer du gaz carbonique. Ou encore, j'ai vu des personnes qui avaient la rate et la vésicule dures comme de la pierre. La haine et la colère peuvent tuer un homme! La passion déséquilibre le métabolisme humain. Or, notre corps a été constitué pour évoluer au rythme de l'amour, et non à celui de la haine. Il a été ordonné à l'amour et même plus: pour *faire l'amour* dans le Christ Jésus.

Cependant, il ne faudrait pas croire qu'il est destiné uniquement à la procréation charnelle. Consacré pour faire l'amour et répandre les bienfaits de la charité, il est organisé de telle sorte qu'il peut s'épanouir dans la chasteté consacrée du sacerdoce, de la vie religieuse et du célibat. On tente, par toutes les astuces, de nous faire croire qu'il n'y a de véritable épanouissement corporel que dans l'exercice de la génitalité. Rien n'est plus faux!

Croyez-vous honnêtement qu'une Mère Teresa de Calcutta est une personne frustrée, sexuellement refoulée, ou plutôt une religieuse pleinement épanouie, par sa consécration à Dieu et le don d'elle-même aux

---

(1) Jean-Paul II, *Discours du 28 janvier 1981*, Osservatore Romano, no 5, p. 12.

déshérités? Dom Helder Camara est-il un vieux garçon rabougri, incapable de dépassement humain, parce qu'il a renoncé depuis longtemps à la génitalité pour s'épanouir dans la paternité spirituelle? Et l'on pourrait multiplier les exemples d'hommes et de femmes consacrés à Dieu par la chasteté, et dont la vie a été débordante d'oeuvres de charité de toute nature visant à secourir la misère des hommes!

Chers amis, on tente de vous convaincre que la génitalité exercée au cours de l'adolescence et de la jeunesse dans l'irresponsabilité est le seul moyen pouvant assurer le plein épanouissement de vos personnes.

Et l'on vous affirme que tout sera facile le jour où, par malheur, vous, jeunes filles, vous réveillerez porteuses d'une vie, puisque les CLSC seront là pour vous dépanner, en vous débarrassant de l'enfant gêneur! Qui osera m'avouer qu'il s'agit là de l'épanouissement humain qu'on doit ambitionner?

Il s'agit tout simplement d'une profanation des corps, d'un mépris de la personne et de la vie, d'un renversement éhonté des véritables valeurs!

«Votre corps vaut le sang d'un Dieu», [1] puisqu'il a été racheté par la croix. Votre corps est à l'image de celui que le Christ a choisi en prenant chair, pour habiter parmi nous.

Voyez-vous pourquoi LA RÉVOLUTION DE L'AMOUR doit d'abord commencer par LA RÉVOLUTION DU CORPS?

VOS CORPS SONT APPELÉS À L'IMMORTALITÉ

On tente, par tous les moyens, de vous faire croire

---

(1) 1 Pierre 1:17-19

que votre corps est voué à l'activité sexuelle, alors qu'il a été créé pour la vie éternelle. Il est appelé à l'immortalité de la chair par la résurrection, et vous le savez! Aussi devez-vous l'entourer de respect et de dignité, parce qu'il est le chef-d'oeuvre de Dieu.

On conserve les tableaux de Rembrandt, de Raphaël, de Michel-Ange et de Goya dans les conditions idéales de nos musées contemporains, pour assurer leur permanence et les protéger des mains profanes, qui pourraient ternir leur qualité. Ce n'est que de la toile après tout. Vous valez infiniment plus: «Vous valez le sang d'un Dieu!»[1]

Voilà pourquoi ce chef-d'oeuvre qu'est votre corps ne doit pas être exhibé publiquement comme une production vulgaire. Vous devez le garder et le défendre des regards affamés qui veulent le profaner; il est réservé à l'époux ou à l'épouse que le Seigneur vous a choisi(e) de tout temps. On comprend dès lors le ridicule et l'infamie qui caractérisent ces *stripteases*, ces danses à *go-go*, cet étalage de chair qui déferle dans nos cafés et ce nudisme éhonté qui envahit nos plages.

Toute cette publicité tapageuse et indécente qu'on fait autour du corps humain constitue une forme d'intoxication et d'empoisonnement collectif; elle est le fruit de notre civilisation hédoniste et matérialiste. Ce n'est rien d'autre que l'exploitation honteuse de l'érotisme, le résultat de la philosophie pragmatique de notre époque, dite progressiste et civilisée.

Chers amis, vous n'êtes pas faits pour l'érotisme, mais pour l'héroïsme! Pas pour la mollesse, mais pour la tendresse! Pas non plus pour les jeux de la chair, mais pour aimer en Jésus, par, et avec Lui...

Vous avez été conçus et modelés substantiellement

---

(1) 1 Pierre 1:18-19

par Dieu. En effet, si votre père et votre mère sont à l'origine du tissu bio-génétique de votre corps, ce qui explique et différencie les chromosomes, ou encore les gènes et les traits de votre être physique, n'oubliez pas que votre âme a été créée directement par Dieu. Vous n'êtes donc pas le fruit du hasard. Le Très-Haut vous connaît par votre prénom et les trois Personnes divines se sont consultées, au moment de créer le souffle de vie qu'est votre âme immortelle.

C'est justement là que votre corps prend sa valeur d'éternité. Car lorsque vous n'étiez qu'un foetus de quelques heures, votre âme était déjà présente, faite à l'image et à la ressemblance de Dieu. Est-il besoin d'insister sur le crime abject que représente le fait de traiter le foetus comme un déchet? Or, c'est par dizaines de milliers, et même davantage, qu'on élimine ces germes de vie du sein des femmes, parce qu'on estime qu'ils sont d'injustes agresseurs!

Nous pourrions expliquer, par des photos, ce qui se passe dans certains hôpitaux du Québec: des bébés de six, huit et douze semaines qu'on extrait par succion du sein de leurs mères. Songez à ces petits êtres sans défense, avec leurs petites mains et leurs petits pieds, enveloppés dans la chaleur du placenta, qu'on élimine froidement!

Voilà où nous conduit cette civilisation pragmatique et matérialiste qui veut se passer de Dieu et de sa Loi!

Est-ce bien ce que vous voulez pour le Québec de demain? Ou n'avez-vous pas plutôt choisi de vivre et de faire vivre? Moi, j'ai choisi avec vous de prendre la défense de ce corps sauvé et racheté par le sang d'un Dieu par LA CIVILISATION DE L'AMOUR, partagée par des gars et des filles qui croient à l'Amour et au respect de la vie!

Je vous sais capables, vous, les jeunes, qui aspirez de tout votre être à vivre pleinement votre existence, de séparer le vrai du faux, et de rejeter les théories colportées au nom de données pseudo-scientifiques!

Une science privée de sagesse est de la folie pure, au même titre que la sagesse sans science est totalement inutile. Sagesse et science conduisent à la vérité. Et la vérité du corps, c'est: «Dieu vit que cela était bon».[1]

Nous sommes les tabernacles du Dieu vivant, consacrés et élus pour le service de l'Amour.

Je conclus cette première partie portant sur la révolution du corps par l'Amour, en empruntant la voix même du chef de l'Église, qui, en s'adressant à la jeunesse du monde, lui parle le langage de la raison et de la vérité:

> **«Jeunes du monde, gardez ou retrouvez une saine vision des valeurs corporelles; contemplez davantage le Christ, Rédempteur de l'Homme».[2]**

C'est Lui, le Verbe fait chair, que tant d'artistes ont peint avec réalisme pour nous signifier qu'Il a tout assumé de la nature humaine, y compris la sexualité qu'Il a sublimée dans la chasteté.

---

(1) Genèse 1:31
(2) *Jean-Paul II parle aux jeunes*, Messagers de la Bible, Québec 1980, p. 8; Ed. du Centurion, Paris 1980, p. 182.

Envoie l'Esprit

André Dumont, o.m.i.

REFRAIN: *Envoie l'Esprit*
En notre coeur
Envoie l'Esprit
Seigneur!

1. *Et que sa voix en nos coeurs puisse dire:*
Père, Père!

2. *Et que celui qui veut boire à l'eau vive,*
Vienne, vienne!

3. *Et que l'Esprit et l'Épouse proclament:*
J'aime, j'aime!

4. *Et que la terre et les siècles te chantent:*
Gloire, gloire!

5. *Et que l'Image présente du monde*
Passe, passe!

CHAPITRE II

LA RÉVOLUTION DE L'AMOUR PAR LA RÉVOLUTION DE L'ESPRIT

La personne humaine est le résultat de l'harmonieuse fusion du corps, de l'âme et de l'esprit. Comme dans la Trinité, corps, âme et esprit doivent être indissolublement unis pour que la personne atteigne sa plénitude d'être et vive dans le plus-être de l'Amour «agapè».

L'esprit est la donnée originale qui distingue essentiellement l'Homme du monde animal et lui confère un pouvoir de maîtrise sur l'univers. Pourquoi la révolution de l'esprit? «Pour opérer la libération de la création tout entière, en *état de gémissement* jusqu'au jour de sa délivrance, par la révélation des enfants de lumière».[1] C'est par l'esprit que l'Homme se distingue, et c'est au nom de l'Esprit qu'il a reçu mandat de Dieu de maîtriser l'univers et de faire éclater les forces que recèle celui-ci. L'Homme n'est qu'un roseau, le plus faible de la nature, mais, comme le disait Pascal, un «roseau pensant». Il ne faut pas que l'univers s'arme pour l'écraser. Même s'il en était ainsi, il ne parviendrait qu'à tuer le corps. On a souvent vu que de grands hommes avaient influencé le monde, longtemps après leur mort, par la vivacité de leur pensée. Toute notre dignité réside dans la grandeur de notre esprit.

Vous êtes à l'âge où l'on cherche inlassablement à acquérir le savoir. Mais il ne suffit pas d'apprendre des

_____
(1) Romains 8: 19-21

données: il faut comprendre les coordonnées. Il ne suffit pas de mémoriser des faits: il faut savoir les analyser dans leurs causes et leurs effets. Vous êtes à l'âge où l'acquisition de la science est passionnante, et où l'on sent le besoin d'une plus grande sagesse.

Deux choix s'offrent à vous. D'une part, vous pouvez chercher à atteindre la sagesse du monde, en donnant libre cours à votre instinct de puissance et de domination dans l'acquisition de l'AVOIR, du SAVOIR et du POUVOIR. Telle est la grande séduction qui s'exerce sur la jeunesse: AVOIR, SAVOIR, *devenir une compétence,* que tout le monde respectera, afin de détenir un jour *le POUVOIR économique, social, politique et culturel.* D'autre part, il y a la sagesse de Jésus-Christ, faite de vérité qui libère, et de lumière qui montre la voie à suivre. Vous êtes à l'âge des alternatives. Vous pouvez faire un choix radical, à la croisée des chemins qui s'ouvrent devant vous. Je choisis l'esprit du monde, avec son cortège d'AVOIR, de SAVOIR et de POUVOIR, ou je choisis l'Esprit du Christ, pour bâtir un monde nouveau, la CIVILISATION DE L'AMOUR, pour l'an 2000!

Vous êtes à même de faire ce choix, en toute liberté, et personne n'a le droit de forcer votre option et de violer ainsi le champ sacré de votre esprit. À ce stade, vous êtes maîtres chez vous.

Or, vous savez qu'il existe, dans notre monde, des systèmes totalitaires qui paralysent même les esprits.

Songez à des pays d'Amérique latine ou d'Afrique, ou encore à certaines contrées subjuguées par des régimes communistes, ou même capitalistes, qui portent gravement atteinte à l'intégrité et à l'identité de l'Homme, en le réduisant au rôle de robot-producteur, en le privant de sa force intérieure et de sa liberté.

Des millions d'êtres humains sont victimes de tels régimes de terreur.

Vous n'êtes pas sans savoir également qu'il existe des systèmes économiques qui, tout en se flattant du formidable développement industriel qu'ils engendrent, accentuent simultanément la dégradation et l'annihilation de l'Homme. Rappelez-vous les exploitations honteuses du Tiers-Monde! Souvent, même les *mass media* ne sont pas sans provoquer cet envoûtement des intelligences et des imaginations, qui nuit à la santé de l'esprit, à l'équilibre des jugements et à la pureté du cœur, au lieu de contribuer, dans une fraternité croissante, au développement intégral de l'Homme et à son enrichissement.

Autant de façons d'abaisser l'être humain et de le déformer, au point de le rendre inapte à discerner le bien du mal, l'ordre du désordre, la liberté de l'esclavage. Il s'agit là de formes d'abrutissement qui, parce que devenues coutumes, ne sont pas moins condamnables. À quoi bon parler de réformes sociales, politiques, économiques et culturelles, même très généreuses, si l'esprit, qui est aussi conscience, perd sa lucidité et sa vigueur?

Dans le monde où nous vivons, avec ses beautés et ses laideurs, cette réalité est indéniable, et vous devez tenter de l'améliorer. Apprenez plutôt à réfléchir, à penser et à juger selon les normes de la justice et de l'amour, en suivant les lumières de la foi et en vous pliant aux exigences de la vérité, au service de l'humanité.

Les études que vous faites doivent être, pour vous, le moment idéal de faire l'apprentissage de la vie, à laquelle vous vous destinez. Fuyez la paresse intellectuelle, les faux-fuyants, la vie facile, les idées toutes faites. Le refus de toute réflexion personnelle, hors des sentiers battus, prépare l'abrutissement de l'esprit.

Utilisez intelligemment vos heures de loisirs pour donner libre cours à la créativité; renouvelez votre pensée et votre réflexion en vous abreuvant aux sources de la Révélation chrétienne. La Bible et l'Évangile contiennent une mine d'idées neuves et réconfortantes! Pourtant, on y a si peu recours! Nous avons encore besoin de repenser notre vie économique, sociale, politique et culturelle, car nous subissons encore l'esclavage de systèmes qui, trop souvent, écrasent les pauvres et les démunis, au profit des mieux nantis.

Il vous appartient à vous, les jeunes, d'accepter d'être renouvelés dans l'Esprit Saint, pour trouver, aux sources de la VRAIE CHARITÉ, les réponses réalistes et adéquates aux problèmes qui assaillent nos frères humains.

Refusez les slogans, les valeurs irréelles; dénoncez les mirages, les illusions, les orientations sans issue et les manoeuvres malhonnêtes. Chacun et chacune de vous, à son niveau, doit favoriser la primauté de l'esprit sur le matérialisme, et travailler à promouvoir ce qui a valeur d'éternité.

Vous n'étudiez pas seulement pour assurer votre avenir: vous investissez aujourd'hui pour la vie éternelle, et chaque minute de votre existence humaine, transformée par la Grâce, a son poids d'éternité. En outre, tout ce que vous apportez, au niveau de la qualité de la vie, se traduit par un mieux-être pour vos frères humains.

DES JEUNES À L'ÉCOUTE DES AUTRES

Je vous cite quelques exemples, qui illustrent bien les principes énoncés plus haut:

On vous a maintes fois parlé du Tiers-Monde, exploité par les générations qui nous ont précédés et maintenu dans un état d'infériorité par le capitalisme des peuples dits civilisés. L'heure est venue de tenter d'y rétablir l'équilibre et la justice. Et c'est la charité des jeunes qui répondent de plus en plus nombreux aux appels des pays du Tiers-Monde: au Saël, en Amérique latine, en Haïti et ailleurs, qui assurera un peu de confort et de bien-être à ces pauvres déshérités. Vous, les jeunes, avez la possibilité de contribuer à changer la face de la terre. Il existe plusieurs façons de vous dévouer auprès d'organismes créés tout exprès pour améliorer le niveau de vie des peuples de ces régions.

Ainsi, vous pouvez offrir deux ou trois ans de votre vie, sous mille formes d'aide et de coopération, qui peuvent se traduire dans l'enseignement, l'amélioration des techniques de culture, le soin des malades, l'installation de certaines technologies simples et pratiques, et qui sont autant de façons d'exprimer votre esprit de solidarité chrétienne envers nos frères défavorisés.

Il y a également les échanges culturels entre gens de pays différents. Les jeunes ont ainsi l'occasion de vivre une expérience emballante, non pour enseigner à ces gens notre mode de vie et de culture, mais pour partager avec eux la véritable solidarité humaine et leur permettre de rencontrer un chrétien qui ressemble à Jésus et qui tient son langage: «Je n'ai ni or, ni argent, mais ce que j'ai, je le donne au nom de Jésus-Christ».[1] On rencontre encore des jeunes capables d'opérer ces miracles de dévouement et de charité. À mon sens, ils font plus pour la paix mondiale que les grands orateurs de l'ONU.

---

(1) Actes 3: 6-7

«J'enverrai mon Esprit, a dit le Seigneur, et je renouvellerai la face de la terre».[1] Jamais il n'a dit qu'il le ferait par des moyens politiques ou des mesures économiques. «Vous serez mes témoins!»[2], et tout sera renouvelé.

Un dernier exemple, que je me permets de vous suggérer, serait d'établir un système de correspondance avec des jeunes de pays étrangers, pour vous tenir en mutuelle communion, et vous rendre réciproquement témoignage de ce que le Seigneur fait chez vous, pour vous, par vous et en vous. Cette forme de communication existe déjà sous des appellations comme *Amnistie internationale*, *Libération des chrétiens*, *Solidarité Brésil* et *Solidarité Salvador*.

Des milliers de jeunes, comme vous, militent à l'intérieur de ces divers organismes et réalisent cette RÉVOLUTION DE L'ESPRIT en diffusant le message de l'Évangile et du partage à leurs frères d'outre-mer.

Tout ce qu'il vous en coûtera, c'est le prix d'un timbre-poste et beaucoup d'ouverture de coeur et d'esprit avec ceux et celles dont les conditions de vie sont beaucoup moins favorables…

Voilà ce qu'est la RÉVOLUTION DE L'ESPRIT! On l'entreprend et on la poursuit avec des idées neuves, des slogans évangéliques, des messages d'amour et de compréhension mutuelle, pour que le Christ soit mieux connu et son programme, mieux accepté!

JEAN PAUL II VOUS LANCE UNE INVITATION

Ils étaient 200 000 jeunes sur la place Saint-Pierre pour écouter le père de la grande famille de l'Église:

(1) Psaume 103: 30
(2) Actes 1: 8

«Chers amis, votre vie n'est pas toujours facile. Surtout vous, étudiants, étudiantes. Je connais vos inquiétudes et vos aspirations. Vous assisterez à la fin du second millénaire, où les immenses progrès de l'humanité sont inexplicablement mêlés à des menaces croissantes sur lesquelles, à différentes reprises, j'ai attiré votre attention. Vous serez les témoins de l'an 2000! Nos yeux à nous se seront probablement éteints, mais les vôtres seront encore étincelants de prophétisme, j'espère. La mission évangélisatrice de l'Église a pour but de faire pénétrer le message du Christ au coeur de chaque homme et des peuples, car Il est le principe de la construction d'une CIVILISATION DE L'AMOUR.»[1]

Le Christ veut que vous soyez à l'avant-garde de ce mouvement, qui doit déboucher sur la fraternité humaine, la paix, la justice et la vérité, exprimées d'une façon privilégiée, à travers la solidarité envers les plus petits, les pauvres et les opprimés.

Je connais des milliers de jeunes, qui se sont engagés dans cette voie, après avoir coupé les amarres d'une vie facile, égocentrique et trop souvent repliée sur elle-même.

Vous, qui appartenez au monde étudiant, vos inquiétudes, comme vos espérances et votre action seront marquées par votre situation particulière de transition. En effet, on n'est pas aux études pour toute la vie. Vous vivez une période de formation, au cours de laquelle vos préoccupations personnelles — celles de votre avenir professionnel, familial et social — occupent une place importante.

En tant qu'étudiants, vous vivez aussi dans des milieux scolaires et universitaires qui diffusent le savoir et la culture sous toutes ses formes. Mais en même temps, vous recevez une multitude de messages, de

(1) Jean-Paul II, *Discours aux étudiants*, 1980.

propositions, d'idéologies et de sophismes susceptibles de jeter le trouble et la confusion dans vos esprits.

L'occasion vous est souvent offerte de motiver sérieusement vos choix et de rendre témoignage de votre foi et de votre attachement au Christ, qui demeure la vérité de l'Homme, indissolublement liée à la Vérité de Dieu. S'il est un endroit où l'on a besoin de témoins, c'est bien au sein des CEGEPS et des universités.

Pourquoi faut-il qu'au Québec, on perde la foi à mesure qu'on approfondit ses connaissances, alors qu'au Japon, par exemple, on la fortifie davantage au rythme des années d'études?

Dans ce pays, on constate que ce sont les grandes vedettes du cinéma et du théâtre, les intellectuels et les savants qui découvrent le Christ et son Évangile.

L'université et le collège devraient être les meilleurs endroits pour approfondir ses convictions chrétiennes et asseoir sa foi sur des bases solides.

Pourquoi en serait-il autrement? Pourquoi la science, la philosophie, les lettres et les mathématiques vous éloigneraient-elles de Dieu? Ne sont-elles pas plutôt des disciplines qui devraient vous aider à le connaître davantage? Vous, étudiants, cégépiens et universitaires, avez un rôle à jouer auprès de vos confrères et consoeurs d'étude.

> **«Celui qui rougira de moi devant les hommes, je rougirai de lui devant mon Père, au jour du jugement.»**[1]

Ayez l'audace de vos convictions chrétiennes! On vous respectera, et même plus: on partagera votre foi.

L'ÂGE DES DÉFIS

Vous, jeunes gens et jeunes filles de chez nous,

---

(1) Marc 8: 38

vivez à l'heure des défis mondiaux et avez la chance unique de pouvoir contribuer aux progrès de notre civilisation. Nous sommes à l'heure de l'effondrement de la civilisation industrielle et post-industrielle. Nous sommes au carrefour des vieilles valeurs qui s'effritent, et des nouvelles qui feront bientôt leur apparition.

Voici venu le temps pour nous, pour vous, d'influencer pour le mieux le cours de l'Histoire. C'est une chance qui ne se présente qu'au début ou à la fin d'un siècle, et nous l'avons, et vous l'avez.

Vous devez être parfaitement conscients des moyens techniques et scientifiques de communication et de recherche dont dispose la génération montante à laquelle vous appartenez, pour tenter des voies nouvelles et créatrices, et assurer ainsi l'équilibre et la bonne marche de notre monde.

La raison pour laquelle nous ne trouvons pas de réponses adéquates aux problèmes de la société, c'est que nous ne posons pas les bonnes questions.

Pourquoi ne peut-on pas mettre un terme au fléau du chômage? Et à celui de l'inflation? Tout simplement parce qu'on ne veut pas éliminer les causes radicales de ces deux calamités. On s'obstine à vouloir vivre chacun pour soi, de façon individualiste et égocentriste, en se fichant du bien-être d'autrui.

On ne veut pas changer son rythme de vie, et l'on s'entête à maintenir des conditions de travail souvent inhumaines.

Chacun défend son statut social et refuse le même droit à son voisin. Bref, on croit qu'on réglera le problème de l'heure en changeant les chiffres de colonnes et en affirmant que le chômage doit augmenter pour que baisse l'inflation.

C'est le coeur de l'Homme, de même que son esprit et sa vision du monde qu'il faut d'abord transformer. Vous, les jeunes, avez la possibilité de travailler à faire évoluer les mentalités autour de vous. Faites en sorte que, dans votre milieu familial, dans votre cercle d'amis ou d'études, on songe davantage au prochain démuni, aux pauvres et aux nécessiteux qui sont à nos portes et que l'égoïsme et la vie facile nous empêchent de voir.

La réponse à tous les problèmes économiques et sociaux actuels ne viendra pas des magnats de la finance ou des dirigeants de l'industrie. Pris par l'appât du gain, ils ont mis toute leur espérance dans les profits à venir: «Nul ne peut servir deux maîtres, a dit le Christ: Dieu et Mamon, Dieu et l'argent!»[1]

Notre foi dans l'Homme et le mystère de la Rédemption nous apporte d'autres données pour résoudre le problème de la pauvreté et de l'équilibre dans le monde. Cette époque où vous vivrez sera marquée par la réalisation de la prophétie de Joël annonçant la fin de ce monde: «J'enverrai mon Esprit sur toute chair, vos jeunes gens et vos jeunes filles prophétiseront. Sur eux, se répand mon Esprit! Vos enfants auront des songes et vos vieillards, des visions!»[2]

Vous êtes de cette élite qui fera éclater la Rédemption de Jésus-Christ au coeur de ce cosmos déchaîné.

Relisez le huitième chapitre de l'épître de saint Paul aux Romains: «La création tout entière est en état de servitude et de gémissement.(...) La création tout entière est en gestation, comme une femme enceinte, qui attend l'heure de la délivrance!»[3]

---

(1) Matthieu 7: 24
(2) Joël 3: 1-5; Actes 2: 14-23
(3) Romains 8: 19-21

Ce sera l'heure de la manifestation des enfants de lumière. Et vous en êtes! Peut-être direz-vous: que puis-je contre la marée des idées subversives, l'opposition à peine voilée de ceux qui me coudoient, l'indifférence de la masse?

Arrêtez de sous-estimer la lumière que vous portez! «Vous êtes la lumière du monde!»[1]

Vous avez l'assistance de l'Esprit Saint, qui vous accompagne et vous éclaire. Prenez appui sur le Seigneur dans la prière. Il ne vous fera jamais défaut. La foi, qui sera toujours la première force de ce monde, soulève les montagnes et bouscule les obstacles. Elle surmonte la peur, aguerrit le faible contre le fort et redonne espoir, quand tout semble perdu.

Ainsi, Dieu se manifestera dans votre faiblesse et parlera par votre bouche: «Ayez confiance, j'ai vaincu le monde!»[2]

Guidés par l'Esprit Saint, vous, les jeunes, pourrez affirmer vos croyances et défendre les droits de la vérité, quoiqu'on dise, quoiqu'on fasse pour vous en empêcher. «Quand Dieu est avec vous, qui oserait être contre vous?»[3]

AU SECOURS DE LA LIBERTÉ

Tout récemment, le Congrès américain a dû se plier à une loi du ministère de la Justice. Vous savez sans doute qu'encore tout récemment, aux États-Unis, on interdisait, au nom de la liberté, l'enseignement de la Bible dans les écoles. Or, cette défense a été déclarée inconstitutionnelle. Il s'agit d'une victoire qui aura des

_____
(1) Matthieu 5: 14
(2) Jean 16: 33
(3) Cf. Romains 38: 31ss

63

répercussions dans les écoles primaires et secondaires, les collèges et même les universités!

À compter de septembre prochain, parallèlement à la théorie de l'évolution de Darwin, on devra enseigner l'histoire de la création selon la doctrine biblique.

Au Québec également, il nous faut savoir défendre nos droits et nos privilèges, dans nos écoles, nos collèges et nos universités. La liberté religieuse nous est acquise depuis les débuts de notre Histoire. Nous avons des droits inaliénables et ces droits, il faut les protéger dans nos institutions d'éducation, qui sont et resteront confessionnelles si nous le voulons. Il nous appartient, à nous, de faire respecter la dimension chrétienne, l'enseignement de la catéchèse, la pratique de la prière et l'exercice de la pastorale dans toutes nos écoles, qui sont et se proclament catholiques.

Notre société aura besoin de votre concours et de votre action énergique pour conserver ce qu'elle a bâti en quatre siècles d'Histoire. La jeunesse québécoise que vous êtes devra lutter pour sauvegarder sa liberté de pensée et d'action. Affirmez les droits de la vérité autour de vous, dans vos familles, vos milieux d'études, vos cercles d'amis, partout où seront requises votre influence et votre intervention.

Développez les qualités d'une forte personnalité, bien aguerrie, au contact des contradictions et des propositions qui vous harcèleront. Car si vous devenez quelqu'un par la force de l'Esprit, attendez-vous à connaître l'épreuve et à en goûter les saveurs les plus diverses:

- épreuve de l'idéal entrevu, qui vous paraîtra plus difficile à mesure que vous activerez la marche;
- épreuve des sots, qui ne comprendront rien à vos revendications et s'en scandaliseront;

- épreuve des jaloux, qui vous trouveront audacieux d'avoir franchi leur ligne de combat;
- épreuve des bons, qui se laisseront ébranler, vous suspecteront, pour ensuite vous abandonner;
- épreuve des médiocres et des indifférents, qui constituent la majorité et que vous gênerez par l'affirmation de vos convictions et de votre foi dans le Christ.

Vous, les jeunes, qui avez encore le goût de vous joindre à LA RÉVOLUTION DE L'AMOUR, sachez que la vérité vous rendra forts et que seul Dieu pourra vous libérer, en vous affranchissant par sa grâce, de toutes les servitudes intellectuelles, culturelles et sexuelles qui vous sollicitent, et vous conduire à la plénitude de sa paix!

Donne-nous, Seigneur, un coeur nouveau
d'après Ezéchiel 36

REFRAIN: Donne-nous, Seigneur,
un coeur nouveau
Mets en nous, Seigneur,
un esprit nouveau!

1. Voici venir des jours, oracles du Seigneur
Où je conclurai avec la maison d'Israël
Une alliance nouvelle.

2. Je mettrai ma Loi au fond de leur être
Et je l'écrirai sur leur coeur.

3. Je serai leur Dieu
Et eux seront mon peuple.

4. Je leur pardonnerai toutes leurs fautes
Et ne me souviendrai plus de leurs péchés.

CHAPITRE III

LA RÉVOLUTION DE L'AMOUR PAR LA RÉVOLUTION DU COEUR

La RÉVOLUTION DE L'AMOUR n'est plus un rêve, un slogan, une idéologie, mais une réalité, un *OUI* collectif à l'Amour de Jésus-Christ.

Le thème de la CIVILISATION DE L'AMOUR a d'abord été développé par le Pape Paul VI, puis repris largement par Jean-Paul II.

Tout a débuté en 1975, à la fin de l'Année Sainte, quand le Souverain Pontife, s'adressant à 100 000 jeunes venus de tous les coins du monde, a proclamé:

> «Vous vivez actuellement une heure de grâce et de salut, dans l'Histoire du monde, et tout homme de bonne volonté veut que le calendrier de l'Histoire ouvre la CIVILISATION DE L'AMOUR. C'est à vous, les jeunes, que je confie cette mission.»[1]

Il a poursuivi, en ajoutant l'avertissement suivant à ses jeunes auditeurs:

> «Ferions-nous un rêve, lorsque nous parlons CIVILISATION DE L'AMOUR?
>
> Non, nous ne rêvons pas. S'ils sont authentiques, s'ils sont humains, les idéaux ne sont pas des songes; ils sont des devoirs, spécialement pour les jeunes chrétiens du monde. Ils sont d'autant plus urgents et fascinants que les grondements de leur âge ébranlent davantage les horizons de notre histoire.
>
> C'est vous, les jeunes, qui êtes la force de l'Église et l'espérance de demain.

---

(1) Paul VI, *Discours du 31 décembre 1975:* Osservatore Romano, 1er février 1976, p. 101.

> Le culte que nous avons pour l'Homme nous conduit à cela lorsque nous repensons à cette célèbre expression d'un père de l'Église, le grand saint Irénée: *L'homme vivant, l'homme debout est la gloire de Dieu.*
>
> C'est pourquoi, je vous demande de vous tenir debout dans la Foi, de vous tenir debout dans la Vérité, de vous tenir debout dans l'avenir.
>
> Telle est la gloire que vous rendrez à Dieu, tel est le culte en Esprit et en Vérité qui va déterminer l'orientation de la civilisation en voie de naître, et c'est vous qui allez mettre en marche cette civilisation nouvelle.»[1]

Plus tard, Paul VI précisait sa pensée auprès de ses auditeurs, de façon bien significative:

> «Vous, les jeunes, vous vous rebellez contre une conception de la vie, qui prétend donner la première, sinon l'unique place au profit, au succès, à l'égoïsme et à l'utilisation des autres.
>
> Vous contestez une société qui, à votre soif d'authenticité, répond souvent par des formules creuses, habiles, mais aussi hypocrites.
>
> Je vous encourage dans votre contestation.»[2]

Le Souverain Pontife a donc invité les jeunes gens à se lever pour contester le mensonge, les valeurs fausses et trompeuses de ce monde, l'hypocrisie et la double position de ceux qui indiquent une ligne de conduite, mais ne la suivent pas.

Il a poursuivi:

> «À votre désir d'amitié, de communication, s'opposent des modèles de vie sociale, basés sur l'indifférence et l'exploitation réciproques. Vous avez le droit de faire comprendre et entendre votre voix, votre besoin de transcendance, contre les fausses

---

(1) Idem, p. 102.

(2) Paul VI, *Discours du 25 février 1978*, Osservatore Romano, 26 février 1978. Documentation Catholique no 1738, p. 251.

illusions qu'on vous offre dans une société de consommation. Vous avez le privilège et le devoir de contester les vendeurs d'illusions, de l'érotisme et de la drogue. Je vous confie cette mission.

Confondez les faux prophètes de ce temps, qui veulent une marchandise frelatée de bonheur. C'est votre droit de jeunes de contester ouvertement cette civilisation de consommation, pour établir LA CIVILISATION DE L'AMOUR.»[1]

Combien de fois a-t-on entendu un Pape tenir un langage aussi clair et dynamique?

Ailleurs, Paul VI concluait par ces mots:

«La jeunesse est particulièrement fascinée par l'amour. Eh bien! proclamez la véritable Amour, celui qui ne se confond pas avec le plaisir égoïste de la chair, mais qui fleurit dans le don de soi. Semez autour de vous, dès maintenant, les grandes valeurs de la CIVILISATION DE L'AMOUR, telles la solidarité, la fraternité, la dignité de la personne humaine, le rejet de tout ce qui est discrimination et ségrégation, le service de la justice, l'établissement de la paix dans la vérité. C'est là que vous bâtirez la CIVILISATION DE L'AMOUR. C'est là, jeunes gens qui m'écoutez, votre mission dans l'Église et dans le monde d'aujourd'hui.»[2]

En d'autres termes, le Pape a dit aux jeunes: le Christ vous fait confiance, l'Église vous fait confiance. On pourrait ajouter: la société elle-même, parce qu'elle n'a rien à vous offrir, vous fait confiance.

Toutes les formes de révolutions ont été tentées: révolutions culturelles, économiques, politiques, sexuelles, pour aboutir au cahot et au désastre.

Pour ma part, et j'espère que vous m'approuvez, je propose LA RÉVOLUTION DE L'AMOUR, la seule susceptible de transformer notre monde.

(1) Idem p. 251, col. #2
(2) Idem, p. 252, col, #2.

71

Mais cette forme de révolution, me demanderez-vous, pourquoi ne l'a-t-on pas tentée jusqu'ici? Serait-ce qu'on a eu peur, ou qu'on n'a pas cru la jeunesse suffisamment forte et aguerrie, suffisamment courageuse et tenace pour la mener à bonne fin? Pourtant, l'Église et le Christ ont mis leur confiance en vous, les jeunes. Il vous reste encore vingt ans, avant la fin du présent siècle, pour changer la face de la terre par cette révolution.

«Quand les hommes vivront d'amour», dit la chanson, il n'y aura plus sur cette terre ni de guerres, ni de misère, ni de haine, ni de faim, ni d'égoïsme avec son cortège de larmes; «les hommes seront troubadours, mais nous, nous serons morts, mon frère!»[1] Mais vous, vous connaîtrez ce que la puissance de l'Esprit peut accomplir dans des coeurs de vingt ans!

Oui, chers jeunes, vous valez ce que vaut votre coeur! D'ailleurs, le Christ l'a dit à plusieurs reprises: «Là où est votre trésor, là est votre coeur!»[2]

LA PUISSANCE DE L'AMOUR

«Le coeur a ses raisons, que la raison ne comprend pas», dit le proverbe. C'est vrai: le coeur est une puissance aveugle qui peut déclencher les plus grands désordres chez l'Homme.

L'Évangile dit encore: «Ce n'est pas ce que l'Homme mange par la bouche qui souille le corps de l'Homme, mais c'est ce qui sort de son coeur, car c'est du coeur que naissent la convoitise, l'adultère, la haine et la corruption!»[3]

---

(1) Raymond Lévesque: *Quand les hommes vivront d'amour*.
(2) Matthieu 6:21
(3) Matthieu 15:11

«Vous valez ce que vaut votre coeur!» [1]

Si votre coeur est rempli des richesses de l'«agapè», vous valez plus qu'un trésor fait de mains d'hommes; vous valez ce que vaut le sang de Dieu, parce que vous avez été rachetés par Lui.

Ne l'oubliez jamais: vous êtes les enfants du Père, les fils de l'Église et, si vous demeurez dans l'Esprit Saint, vous serez le sel de la terre, la lumière du monde, le levain dans la pâte.

Si vous vous insérez au coeur des réalités humaines, la puissance même de votre coeur transformera la pâte de cette société de consommation en une pâte de CIVILISATION DE L'AMOUR. C'est vous, les jeunes, qui portez le ferment de cette réalité dans votre coeur. Encore une fois, «vous valez ce que vaut votre coeur!» [2]

Toute l'Histoire de l'humanité est celle du besoin d'aimer et d'être aimé. Les preuves sont tangibles, constamment sous nos yeux, et les *mass media* nous le rappellent à satiété.

Malheureusement, cette fin de siècle rend plus difficile l'épanouissement d'une saine affectivité, pour la bonne raison qu'on a pollué l'amour à toutes les sources des sensations les plus ahurissantes, et qu'on a confondu affection et sensualisme.

On a, en quelque sorte, provoqué des courts-circuits affectifs, parce qu'on a ouvert les vannes de la passion et développé non pas les richesses de votre coeur, mais les zones érogènes de votre corps.

Je lisais récemment *Le petit guide des quinze à vingt ans*, distribué par le ministère des Affaires sociales du

---

(1) Jean-Paul II: *Discours aux Jeunes*, Palais des Princes, Paris, juin 1980, p. 183.
(2) Idem

Québec, où figure un diagramme du corps de l'homme et de la femme, avec des points rouges qui identifient les zones érogènes, susceptibles d'être provoquées pour déclencher la jouissance orgasmique parfaite. Et l'on a l'audace de diffuser cette littérature à tous les jeunes, dans le cadre d'une soi-disant éducation sexuelle!

C'est tout simplement de la perversion systématique et bien orchestrée! Au lieu de l'éducation à l'Amour, on explicite de façon éhontée votre corps, fait à l'image et à la ressemblance de Dieu.

On veut vous faire croire que votre coeur sera ouvert à l'Amour dans la mesure où vous serez sensibles à vos zones érogènes. Voilà où peut conduire l'aberration collective de nos bons politiciens!

Je comprends pourquoi de plus en plus de jeunes, et même de moins jeunes, cherchent à se regrouper afin d'échapper à l'angoisse et à la folie d'une telle civilisation débridée, pour retrouver le vrai sens des relations interpersonnelles, à la fois chaudes et significatives.

Si l'on en croit une certaine publicité tapageuse, notre époque serait éprise de ce qu'on pourrait appeler la drogue du coeur. Ce serait le temps de vous droguer par la musique, les hallucinogènes, l'image et toutes les formes de sensations qui peuvent vous transporter, pendant quelques heures, dans le monde de l'irréel. Ce serait une forme de «doping» du coeur.

Il importe, cherx amis, que vous soyez sur vos gardes!

Quel que soit l'usage qu'en font les humains, n'oubliez surtout pas que le coeur, symbole de l'amitié et de l'amour, a aussi ses normes, ses exigences et son éthique.

L'oublier, c'est courir aux pires déboires et se préparer de très douloureux lendemains!

Cependant, je sais que vous voulez l'authenticité et qu'au fond de vous-mêmes vous recherchez la vérité.

Même au plus profond d'expériences diverses que vous avez pu vivre, votre coeur vous criait que c'était du faux, du plaqué, du toc, de la contrefaçon.

L'AMOUR DE DIEU A ÉTÉ RÉPANDU DANS VOS COEURS PAR L'ESPRIT SAINT

Nous sommes à l'heure de la Vérité! De la libération du coeur!

Le Souverain Pontife a eu cette trouvaille heureuse, en parlant à la jeunesse: «Faites place au coeur, a-t-il dit, dans la construction harmonieuse de votre personnalité!»[1]

Il ne s'agit pas de nier l'amour et le coeur. Il ne faut pas non plus, à l'inverse, donner dans la sensiblerie et la sentimentalité.

La personne humaine est façonnée à l'image de Dieu, et c'est en cela même que l'amour prend toute sa dimension.

Le coeur a des aptitudes inouïes, si nous savons les développer et les mettre à profit. Il est l'ouverture de tout l'être à l'existence des autres; il est la capacité de comprendre les angoisses et les incertitudes du prochain; il est encore l'aptitude à recevoir l'autre, sans mépris, sans condamnation, sans rejet.

Une telle sensibilité, aussi profonde et honnête, rend l'Homme vulnérable à la misère de ses frères, de ses proches ou de ses lointains semblables. C'est pour

---

(1) *Jean-Paul II Parle aux jeunes*, Messagers de la Bible, Québec, 1980, p. 16; Éditions du Centurion, Paris, 1980, p. 183.

cela que plusieurs essaient de s'en défaire en se durcissant le coeur.

L'Écriture met sur les lèvres du chrétien cette belle prière:

«**Donne-nous, Seigneur, un coeur nouveau!**
Mets en nous, Seigneur, un esprit nouveau!»[1]

LA RÉVOLUTION DE L'AMOUR se fera par la puissance du Saint-Esprit. Rappelez-vous qu'au jour de votre baptême, l'amour de Dieu a été répandu dans vos coeurs par l'action de l'Esprit.

Si vous preniez quelques minutes pour déballer les magnifiques cadeaux que le Seigneur vous a faits à votre baptême, vous retrouveriez la foi, l'espérance et la charité qui vous permettent de vivre chrétiennement les réalités de chaque jour et d'accepter les desseins de Dieu sur vous.

Également, vous avez reçu — le saviez-vous? — les sept dons du Saint-Esprit, qu'il faut tâcher de développer et de faire grandir en vous par votre fidélité et votre coopération à l'action de la grâce.

C'est là que nous découvrons à quel point Dieu nous a comblés! Pourquoi demeurons-nous parfois si indifférents en face de tant de merveilles qu'il a opérées en chacun de nous?

Quelle grande différence il y a entre le chrétien qui a compris, et celui qui vit replié sur lui-même! Le premier respire une maturité qui le fait sortir de lui-même et se mettre au service des autres. Le second a la manie infantile de tout attirer à lui et pour lui-même.

Ne vous y trompez pas: l'amour n'est pas une inclination instinctive et spontanée. C'est un don de Dieu qui se cultive par une décision consciente de la volonté

---

(1) Cf. Ezéchiel 36:25; Jérémie 31:31

d'aller vers les autres, les plus faibles, les plus démunis, les mal aimés. C'est là qu'on voit si LA RÉVOLUTION DU COEUR a eu lieu ou non.

Le Christ nous a donné l'exemple. Il est venu parmi les humbles, les petits, les malades, les pécheurs et les malheureux de toutes les couleurs, et son Évangile a d'abord été prêché à ceux-là mêmes que la société du temps rejetait. Les saints ont suivi sa trace. Ils sont allés soulager toutes les misères humaines sur tous les continents. Toutes les pages de l'histoire de l'Église nous rappellent comment des chrétiens, comme vous et moi, ont consacré leur vie au service des déshérités, des malades, des malheureux, des orphelins, des vieillards et des laissés-pour-compte.

Eux ont compris et vécu LA RÉVOLUTION DE L'AMOUR!

Aujourd'hui, ceux qui sont prêts à aller vers les mal nantis, les mal nourris, les mal logés, les mal aimés, ce sont ceux qui vivent cette révolution, par l'action de l'Esprit en eux.

Au baptême de Jésus, l'Esprit Saint a reposé sur Lui.

À la suite de son jeûne de 40 jours, au tout début de sa vie publique, Jésus est entré dans la synagogue de Nazareth pour faire la lecture, suivant la coutume établie. On lui a donné le Livre du prophète Isaïe et, en l'ouvrant, il a lu le passage où il était écrit:

> **«L'Esprit du Seigneur est sur moi, parce qu'il m'a conféré l'onction pour annoncer la bonne nouvelle aux pauvres.**
>
> **Il m'a envoyé proclamer aux captifs la libération et aux aveugles le retour à la vue, renvoyer les opprimés en liberté, proclamer une année d'accueil par le Seigneur.»**[1]

---

(1) Luc 4: 16-20.

SOYEZ LES TÉMOINS DE L'AMOUR

L'amour «agapè», le don du coeur, est une grâce de Dieu. C'est Lui qui opère en nous cette capacité d'amour et nous rend aptes à nous ouvrir aux autres.

> **«Afin de pouvoir aimer en vérité, dit Jean-Paul II, il faut se détacher de bien des choses et surtout de soi-même, de sa volonté propre, de son égoïsme, pour être capable de donner gratuitement. Jeunes du monde, levez plus souvent les yeux sur Jésus-Christ. Il est l'homme qui a le plus aimé.»[1]**

Le Christ nous a aimés jusqu'à donner sa vie pour nous! Il est le prototype de l'Amour total, de l'Amour gratuit, de l'Amour qui ne reprend pas.

De temps en temps, arrêtez-vous pour méditer le testament d'Amour que le Christ nous a laissé: «Il aima les siens, et il les aima jusqu'à la fin!»[2] Contemplez l'Homme-Dieu sur la croix, le coeur ouvert, les bras étendus, alors qu'il vient tout juste de retourner à son Père, une fois sa mission accomplie.

Vous comprendrez, sans doute, que son coeur a laissé couler jusqu'à la dernière goutte de son sang pour nous, pour vous, pour les pauvres hommes que nous sommes tous. Ce fut la première opération à coeur ouvert qui fut réalisée en vue d'une transfusion de sang, à la dimension de l'humanité. Depuis, le coeur du Christ ne s'est jamais refermé, et son sang n'a jamais cessé de couler pour le rachat du monde et pour le vôtre.

Jeunes du monde, contemplez l'homme qui a le plus aimé. Dans cette méditation, vous comprendrez ce que vous avez coûté à Dieu:

---

(1) *Jean-Paul II parle aux jeunes,* Messagers de la Bible, Québec 1980, pp. 14-15; Éditions du Centurion, Paris, 1980, p. 184.

(2) Jean 13:3

- Pour créer le monde, il lui a suffi d'ouvrir la bouche;
- Pour le racheter, on a dû lui ouvrir les mains, les pieds et le côté;
- Pour créer, une parole a suffi;
- Pour racheter, il a fallu un dernier soupir;
- Pour créer, le son de sa voix;
- Pour racheter, le sang de ses veines.

Jeunes qui me lisez, l'heure est venue, votre heure, de travailler plus que jamais à la CIVILISATION DE L'AMOUR. Quel chantier gigantesque! Quelle tâche enthousiasmante! Quel défi à relever!

Cependant, cela exige le don total de vous-mêmes: non seulement du corps, de l'esprit ou du coeur, mais de toute votre personne.

LE DON DE SOI

Chers amis, j'ai une confidence à vous faire: je crois sincèrement que plusieurs d'entre vous sont capables de risquer le don total d'eux-mêmes au Christ et à leurs frères, et de leur consacrer toute leur puissance d'aimer.

Dans son discours du 27 janvier 1981, le chef actuel de l'Église, donnait aux jeunes la consigne suivante:

> «Soyez les témoins de l'Amour dans la Vérité. Soyez les témoins de la Vérité par l'Amour.
>
> Vous la recherchez, cette Vérité, dans vos études, dans la discipline qu'elle impose à votre intelligence et à votre coeur.
>
> Puisse cette Vérité contribuer à votre développement intellectuel le plus largement possible, en vous donnant le sens de la complexité du réel non seulement physique mais humain, en vous apportant les solutions créatrices issues de l'Amour!»[1]

_____

(1) Jean-Paul II, *Discours aux Jeunes de la JECI et de la MIEC*, Osservatore Romano, 27 janvier 1981, p. 2, col. #2 et 3.

Or, vous savez que certaines solutions ne se trouvent pas grâce aux seules forces du physique ou de l'intellect. Il y a des réponses que seul le coeur peut apporter. LA CIVILISATION DE L'AMOUR doit d'abord se réaliser en vous-mêmes. N'ayez pas de crainte, ni de timidité, car «si le Christ est avec vous, qui sera contre vous?»[1]

Nous voici à l'aube de l'an 2000! Vous avez l'occasion de changer le cours de l'Histoire, par LA RÉVOLUTION DE L'AMOUR. Jeunes du monde, êtes-vous prêts à dire OUI à l'Amour, au défi qu'il faudra relever pour le réaliser en vous-mêmes et chez les autres?

Les graves problèmes qui secouent actuellement notre monde ne trouveront pas de réponse dans la violence, la haine, le mensonge et l'illusion. Il n'y a qu'une façon de confondre la haine, c'est par l'Amour! Il n'y a aussi qu'une façon de combattre le mensonge, c'est par la Vérité! Il n'y a enfin qu'une façon de vaincre l'illusion et l'hypocrisie, c'est par l'authenticité.

L'authenticité de votre vie, de votre conduite, du don de vous-mêmes, de l'engagement de votre personne, de l'Amour que vous prodiguerez autour de vous: voilà autant de réponses que vous apporterez aux problèmes de votre milieu.

Dès maintenant, je vous propose cinq objectifs, bien concrets et à votre portée, que vous pourrez sûrement réaliser avec l'aide de compagnons et de compagnes qui partagent votre désir de faire la RÉVOLUTION DE L'AMOUR:

---

(1) Romains 8:31

Premier objectif

Demandez aux bibliothécaires de vos écoles, CE-GEPS ou universités qu'on ajoute des volumes bien faits portant sur le droit à la vie, la sexualité, l'amour, les fréquentations, le mariage, etc., et qui respectent la doctrine de l'Église. Je vous suggère quelques titres, à la fin de ce message. Si vous insistez, on se fera sûrement un devoir de vous procurer les ouvrages susceptibles de vous aider à parfaire votre éducation.

Deuxième objectif

Intervenez au besoin, dans le cadre de vos cours, lorsque vous entendez des sophismes, des faussetés ou des erreurs sur l'Homme, la religion, la sexualité, l'amour, la Bible, l'Église, etc.

C'est votre droit et votre devoir d'exiger que la vérité soit dite, et qu'on respecte votre foi.

N'oubliez pas qu'au Québec, les écoles confessionnelles sont légalement constituées et reconnues comme telles.

Vous avez donc le droit, en tant que baptisés et chrétiens, qu'on vous donne un enseignement conforme à la vérité de l'Évangile et de la Foi. Les juifs et les protestants sont souvent plus inquiets et plus tenaces que bon nombre de nos catholiques quand on attaque leurs croyances.

Je n'en veux pour preuve que la réponse des parents juifs, au moment de la campagne entreprise contre le programme d'enseignement sexuel que voulait nous imposer le gouvernement fédéral. Ils ont répondu à 95 p. cent, tandis que nos parents catholiques le faisaient à 47 p. cent. Ces mêmes juifs sont encore inquiets parce qu'on leur refuse l'enseignement des Commandements de Dieu dans leurs propres écoles.

Partageons-nous la même inquiétude et les mêmes préoccupations?

Troisième objectif

Intervenez, par une action concrète, pour le maintien et le développement de la pastorale scolaire dans vos institutions respectives.

La pastorale demeure un service essentiel, au même titre que toutes les disciplines au programme. Si l'on doit couper dans les budgets, pourquoi faut-il que ce soit d'abord dans le domaine de la pastorale?

Inscrivez-vous au programme de pastorale scolaire et apportez-y tous vos efforts, pour revivifier le dynamisme et la participation aux activités proposées.

Les animateurs ne peuvent pas faire le travail seuls: ils ont besoin de votre coopération pour que les mouvements lancés par eux soient actifs et déclenchent une saine émulation.

D'ailleurs, c'est par l'enseignement catéchétique, la pastorale et la pratique religieuse, que nos écoles demeureront confessionnelles.

C'est par la volonté des parents et des étudiants eux-mêmes que nos droits à l'éducation chrétienne seront respectés.

Quatrième objectif

Fondez de petits cercles d'étude (environ 5 ou 6 étudiants) dans le but de découvrir les vrais besoins spirituels et pastoraux de votre milieu scolaire.

Un premier cercle pourrait faire le relevé des principales lacunes constatées dans les cours en rapport avec la spiritualité de l'Homme, les exigences de la Foi, les préceptes et les Commandements de Dieu, l'enseignement de l'Église, notamment l'enseignement conciliaire.

Un deuxième cercle pourrait faire l'inventaire des attentes et des aspirations de la population scolaire face aux besoins spirituels et à l'assistance pastorale qu'elle serait en droit d'attendre de son école.

Un autre cercle d'étude pourrait évaluer, par voie d'analyse et de synthèse, les moments de la journée et de la semaine où les élèves seraient le mieux disposés à recevoir l'enseignement catéchétique et/ou religieux, avec une indication préférentielle des locaux les plus adaptés à ces diverses activités.

Enfin, d'autres cercles d'étude pourraient se constituer dans le but de susciter dans le milieu étudiant des temps forts de liturgie, de récollection, voire de retraites. Toutes ces recommandations seraient suggérées aux divers services de pastorale, à la direction de l'école et à d'autres agents de formation spirituelle de l'institution.

Cinquième objectif

Collaborez au bulletin ou au journal scolaire en écrivant de brefs articles: par exemple, des commentaires pertinents, des recommandations pratiques, les résultats de vos recherches et analyses capables d'améliorer le climat de l'école et d'éveiller un plus vif intérêt des élèves dans les domaines que nous venons de mentionner.

Il est plus important que jamais de faire connaître à votre milieu quelles sont vos convictions profondes, exprimées en termes clairs, énergiques et positifs. Votre participation active à ces publications scolaires démontrera, non seulement votre intérêt pour le bien commun, mais encore votre engagement chrétien qui n'est ni fuite, ni refuge, ni démission devant la réalité!

L'évangélisation *des jeunes par les jeunes* peut et doit s'exercer par les moyens de communications à leur portée: journaux et bulletins, radio scolaire et télévision communautaire. Ainsi, «soyez toujours prêts à rendre compte de l'espérance qui habite en vous.»[1]

(1) I Pierre 3:15.

DEUXIÈME PARTIE

LA RÉVOLUTION DE L'AMOUR ET LA SOCIÉTÉ NOUVELLE

O Père, je suis ton enfant

M.A. Bassieux/Jean Humenry

REFRAIN: *O Père, je suis ton enfant*
J'ai mille preuves que tu m'aimes.
Je veux te louer par mon chant
Le chant de joie de mon baptême.

1. *Comme la plante pour grandir*
   A besoin d'air et de lumière
   Tes enfants pour s'épanouir
   Ont ta parole qui éclaire
   Ceux qui ont soif de vérité
   En ton esprit se voient comblés.

2. *Comme le torrent et la mer*
   Comme l'eau claire des fontaines
   Comme le puits dans le désert
   A toute vie sont nécessaires
   Seigneur, tu nous combles toujours
   De la vraie vie de ton amour.

3. *L'oiseau construit pour ses petits*
   La plus merveilleuse des crèches
   Il les défend, il les nourrit,
   Reflet d'amour dans tous les êtres
   Mais Dieu se livre sans partage
   À ceux qu'il fit à son image.

CHAPITRE IV

LA RÉVOLUTION DE L'AMOUR
PAR
LA RÉVOLUTION DE LA FAMILLE

Nous sommes tous conscients de vivre un événement historique très spécial: la crise de civilisation qui fait craquer de toutes parts les structures fondamentales de la société que nous connaissons. Inévitablement, il fallait s'attendre à ce que la révolution sexuelle des années cinquante aboutisse tôt ou tard à l'éclatement de la famille traditionnelle.

Désormais, on ne veut plus parler de famille nucléaire, de famille monogamique ou de famille autonome; non, on emploie beaucoup plus les termes de familles ouvertes, de couples multiples, de «jet-sets» et de «swingers». J'irai même plus loin: tout un courant de pensée veut changer la législation officielle pour que les couples s'engagent désormais à terme limité: contrat de deux ans, de cinq ans, de dix ans, par simple accord mutuel.

Vous, les jeunes qui me lisez maintenant, peut-être avez-vous déjà connu le drame de la séparation ou du divorce de vos propres parents? Peut-être même avez-vous été habitués à cohabiter, certaines fins de semaine, avec un «oncle» ou une «tante, avec l'«amant» ou la «maîtresse»: le partenaire d'un de vos parents? Il n'est pas rare aujourd'hui de constater la confusion énorme de milliers de jeunes, qui ne savent trop comment se situer par rapport à leurs propres parents.

En effet, tout en aimant son père et sa mère, le jeune

se sent souvent déchiré entre les deux à cause de certaines décisions légales ou des dispositions particulières d'entente entre les époux, de sorte qu'il se voit ballotté tantôt chez l'un, tantôt chez l'autre, et sollicité en faveur de l'un contre l'autre.

Il est clair que la famille contemporaine est l'objet d'une violente attaque de tous les côtés. La philosophie hédoniste préconise des liens de jouissance et de plaisir plutôt que des liens de responsabilité et de devoir. Un courant sociologique définit même le couple non plus comme une union stable entre un homme et une femme dans le but de favoriser la naissance et le développement des enfants, mais plutôt comme «l'union de deux personnes humaines en vue de leur épanouissement mutuel» (ces deux personnes pouvant être aussi bien deux hommes ou deux femmes, selon le cas). De son côté, la structure socio-économique favorise l'indépendance économique de chacun des époux pour accroître le produit national brut, et la démographie exhorte les couples à tendre vers la dénatalité pour atteindre, le plus vite possible, le taux de croissance ZERO, d'ici l'an 2000. Ajoutons même que les personnes âgées sont presque forcées de vivre en concubinage, plutôt qu'en couples mariés, pour ne pas voir baisser leurs prestations sociales et leurs revenus annuels.

Chers jeunes, ce langage ne vous aide pas. De telles situations ne vous sont pas étrangères et la description que je viens de faire correspond, j'en suis sûr, à votre propre expérience, à votre vécu. En effet, de tels événements se sont déjà produits dans chacune de vos familles, ou, du moins, dans votre milieu immédiat de vie, et vous avez été les témoins confus et bouleversés de ces situations bizarres.

LA RIPOSTE

Deux réactions sont possibles devant une telle conjoncture: la démission ou la révolution. La démission, c'est tout simplement la solution des lâches! «Tout le monde le fait, fais-le donc.» La démission, c'est l'intégration pure et simple à ce système dénaturé, l'intégration et l'intériorisation des fausses valeurs qu'il véhicule. La démission, c'est l'admission de son impuissance et la collaboration insconsciente à l'effondrement d'une civilisation en voie d'éclatement. En grande majorité, avouons-le franchement, une certaine jeunesse contemporaine a déjà opté en faveur de la démission:

- «J'veux rien savoir, parce que ça m'écoeure!»

- «Je ne suis pas plus fou qu'un autre. Pourquoi ne pas en profiter?»

- «Tout le monde ne peut pas avoir tort en même temps; c'est donc qu'ils ont raison!»

Mais, il existe aussi une autre option, c'est la RÉVOLUTION DE L'AMOUR. La RÉVOLUTION DE L'AMOUR consiste à lutter contre le courant moderne, le laisser-faire et le laisser-aller. La RÉVOLUTION DE L'AMOUR consiste à refaire en mieux ce que la civilisation a dénaturé: «Refaire d'une façon plus admirable encore cette création pervertie par le péché.»[1] La RÉVOLUTION DE L'AMOUR consiste à mettre en marche aujourd'hui la sorte de famille, la sorte de société, la sorte d'univers qu'on anticipe pour l'an 2000. La RÉVOLUTION DE L'AMOUR, c'est la voie de l'héroïsme contre l'érotisme. La RÉVOLUTION DE L'AMOUR, c'est l'option radicale des béatitudes en vue du plus-être et du mieux-être de toute la famille

---

(1) Prière Eucharistique no 1.

humaine, en la rebâtissant à partir de sa cellule initiale, la famille singulière comme communauté voulue par le Seigneur: une communauté de partage, de prière, de louange, de vie, de dépassement, UNE COMMUNAUTÉ d'«AGAPÈ».

LE RÔLE DES PARENTS

Lors d'une déclaration récente, les évêques du Québec ont insisté sur le rôle primordial et prioritaire de la famille dans l'éducation de la personne globale, y inclus l'éducation sexuelle:

«L'éducation sexuelle est une responsabilité qui incombe d'abord aux parents en vertu du droit naturel d'éduquer leurs enfants. Cette responsabilité éducative est antérieure à celle de l'école.

Sur ce plan, la famille joue un rôle primordial et, en un certain sens, irremplaçable. C'est dans le milieu familial que l'enfant fait ses premières expériences de confiance, d'amour, de tendresse, d'ouverture aux autres: autant d'occasions d'apprentissage de la sexualité.

C'est à travers les figures parentales qu'il commence à prendre conscience de son identité de garçon ou de fille. Par leurs attitudes et leurs comportements plus que par leurs paroles, les parents posent les bases de l'éducation sexuelle au sein de leur foyer. Et c'est en faisant appel aux ressources de leur intelligence et de leur coeur qu'au fil des jours ils remplissent ce rôle auprès de leurs enfants.

Si beaucoup de parents s'acquittent de cette responsabilité avec bonheur, bien d'autres cependant se sentent mal à l'aise devant la tâche à accomplir. Ils ne savent trop comment engager le dialogue avec leurs enfants et leurs adolescents. En outre, dans plusieurs familles, la situation particulière des conjoints (mésentente, séparation, divorce, foyer mono-parental, etc.) rend plus difficile encore la tâche de l'éducation sexuelle.

C'est pour toutes ces raisons que bien des familles ne se croient pas en mesure d'assumer seules cette responsabilité. Aussi est-il nécessaire d'aider les parents à remplir le mieux possible leur rôle d'éducateur en ce domaine. L'école peut y contribuer en jouant son rôle propre dans un esprit de franche collaboration avec eux. Ensemble, dans un climat de confiance réciproque, parents et éducateurs scolaires sont appelés à préciser, pour leur milieu respectif, les orientations de l'éducation sexuelle et les modalités concrètes de collaboration. Ensemble, ils ont à s'acquitter, pour le grand bien des jeunes, de cette importante responsabilité. Ainsi donc, en matière de sexualité, la mission éducative de l'école s'exerce dans le respect du droit des parents et en étroite participation avec eux.»[1]

LE RÔLE DES JEUNES

Vous tous, biens chers jeunes, qui rêvez d'amour et qui voulez tellement bâtir ensemble un monde meilleur où règnent la Justice, l'Amour et la Paix, vous êtes en mesure de mettre en marche cette RÉVOLUTION DE L'AMOUR au coeur même de votre propre famille, quelle que soit la situation présente de vos parents.

Je veux vous proposer un programme en DIX points précis qui facilitera votre action et guidera vos démarches:

1. Acceptez-vous tels que vous êtes, sans blâmer qui que ce soit;
2. Apprenez à vous pardonner vous-même vos propres erreurs et vos propres manquements sans garder d'amertume pour le passé;
3. Pratiquez quotidiennement le pardon dans l'Esprit;

---

(1) Déclaration du Comité épiscopal sur l'éducation; *Une approche pastorale de l'Éducation Sexuelle,* A.E.Q. Mai 1981, #3

4. Explorez toutes les voies possibles de réconciliation;
5. Témoignez de Jésus-Christ aux membres de
   votre famille;
6. Devenez un SIGNE convaincu et convaincant
   d'unité et de paix;
7. Priez sans cesse pour les membres de votre
   famille que vous ne pouvez rejoindre;
8. Invoquez l'Esprit Saint sur les mêmes personnes, afin qu'elles reçoivent «un coeur nouveau et
   un esprit nouveau»;
9. Accueillez avec joie, sérénité et compassion tous
   les membres de votre famille, quels que soient
   leurs problèmes;
10. Attendez dans une joyeuse expectative l'inter-
    vention du «Dieu de l'impossible».

Voilà, en bref, les grands jalons de cette RÉVOLU-
TION DE L'AMOUR que vous êtes tous en mesure de
réaliser, puisque vous ne la faites pas en votre propre
nom, ou en votre propre puissance, mais bien au nom
de Jésus et avec la puissance de l'Esprit Saint.

1. Acceptez-vous tels que vous êtes, sans blâmer les autres

a) Tels que vous êtes

Le problème majeur que connaissent les jeunes adolescents et les jeunes adultes se ramène dans le fond à
une crise d'identité: on ne s'accepte pas tel qu'on est,
on ne s'aime pas soi-même et on se sent incapable de
s'aimer soi-même ou de se laisser aimer des autres.
Cela est lié à des causes bien superficielles: la taille, le
poids, l'apparence, les tics nerveux, etc. Mais, il faut
dire aussi que, parfois, les problèmes sont beaucoup
plus profonds: on se pense superflu au sein de la

famille; on se croit rejeté, mal aimé, sous-estimé, marginalisé. La plupart du temps, cette perception est fausse, exagérée ou, du moins, partiellement non fondée.

Dans quelques cas plus rares, on refuse carrément sa sexualité, sa masculinité, sa féminité, son propre corps, on est alors porté à vouloir être complètement différent de ce qu'on est. Puis, admettons-le, il y a le champ délicat de l'ambivalence sexuelle, qui trouble plusieurs jeunes: ils se sentent à la fois homme et femme, mâle et femelle, attirés vers des personnes de leur propre sexe sans trop comprendre pourquoi. En chaque être humain, il y a une certaine tendance fondamentale, mais plus ou moins marquée, vers l'homosexualité. Cela se retrouve chez la plupart des adolescents, et même chez bon nombre de jeunes adultes.

Tant et aussi longtemps qu'on refuse de s'accepter tel qu'on est selon la totalité de son être, avec ses qualités et ses défauts, ses bonnes et ses mauvaises tendances, ses points forts et ses points faibles, ses succès et ses échecs, il est impossible d'en arriver à la sérénité intérieure et à la paix de l'esprit absolument requises pour retrouver son propre équilibre.

Laissez-moi vous suggérer une courte prière que vous direz dans le secret de votre coeur et dans l'intimité de votre chambre:

> **Seigneur Jésus, je crois du fond de mon coeur que tu es mort sur la croix pour moi et que tu as livré ta vie pour me sauver par AMOUR. Je crois vraiment que tu m'as aimé le premier tel que je suis, tel que tu me connais. Aujourd'hui même, je veux m'accepter tel que je suis parce que c'est ainsi que tu m'as aimé le premier. Je me livre à toi sans réserve: change ce qui doit être changé, maintiens ce qu'il y a de meilleur et fais croître en beauté ce qu'il y a de moins beau en**

moi. En TON NOM, Seigneur Jésus, dans la PUIS-SANCE de l'Esprit Saint, je veux m'aimer moi-même afin de pouvoir mieux aimer les autres et les conduire tous à la découverte de L'AMOUR.

b) Sans blâmer les autres

La façon la plus facile d'éviter de prendre ses propres responsabilités, c'est de blâmer tout le monde et son frère pour ce qui nous arrive, ou encore pour le résultat final de ce qu'est devenue notre personnalité: «C'est pas moi, c'est ma soeur qui a cassé la machine à vapeur!»

Oui, hélas, sous l'influence de la psychologie et de la sociologie, «d'ailleurs mal comprises», les jeunes ont tendance à blâmer les carences affectives, l'autoritarisme exagéré de leurs parents ou encore les attitudes castratrices de mères surprotectrices... et de pères fouettards.

Dans la même veine, sous l'influence d'Adler, on cherche à expliquer ses troubles de caractère et de personnalité par le rang particulier qu'on occupe dans la «fratrie». Ainsi, l'instinct de puissance et de domination des uns écrase et exploite les autres; les plus vieux sont portés à l'égocentrisme, à la jalousie et à l'indépendance, tandis que les plus jeunes sont supposés devenir timides, introvertis et plaignards. Encore une fois, le principe consiste à blâmer les autres pour ses propres difficultés, ses complexes et ses incompétences. Si l'on passe maintenant à la sociologie et aux sciences humaines qui en relèvent, nul n'est jamais vraiment coupable de quoi que ce soit, puisque l'influence du milieu sociologique, socio-économique, socio-culturel et socio-politique a joué davantage que sa propre liberté d'homme dans le produit fini qu'on appelle «la personnalité globale». En fin de compte, c'est toute la société qui est coupable, condamnable: «NOUS SOMMES TOUS DES ASSASSINS!»

Eh bien, non! Si importantes que puissent être les diverses contributions des sciences de l'Homme, il ne faut jamais perdre de vue que l'être humain jouit de trois facultés fondamentales qu'on appelle intelligence, volonté et liberté. Chacun est donc responsable non pas de son environnement ni des ses parents, mais bien de ses propres choix, de ses propres attitudes et de ses propres créations face aux réalités concrètes qui le confrontent. Aussi la meilleure façon de retrouver son équilibre fondamental consiste-t-elle à cesser de blâmer quiconque pour quoi que ce soit et à assumer, en tant qu'être responsable, les conséquences plus ou moins heureuses de ses choix. Même si, effectivement, les autres peuvent avoir eu des torts réels et des influences négatives dans le passé, il importe de vivre AU PRÉSENT dans un climat d'amour, de pardon, de confiance et de compréhension. Être adulte, c'est savoir assumer tout son passé en le dépassant grâce à L'AUJOURD'HUI DE L'AMOUR «qui excuse tout, croit tout, espère tout et supporte tout».[1] Tout passe, sauf l'amour, et quand on investit dans l'amour, rien ne se perd et tout se recrée!

Voulez-vous une petite prière pour vous aider à franchir cette étape? Dites simplement du fond du coeur:

> Ô Père je suis ton enfant. Bien avant la création du monde, tu m'as choisi et aimé en ton Fils bien-aimé, Jésus. Selon ta Divine Providence, tu m'as fait cheminer pour me conduire là où je me trouve actuellement. Je m'abandonne inconditionnellement à ta Divine Miséricorde pour tout ce qui concerne mon

---

(1) I Corinthiens 7:13

passé. Je confie à ta Divine Providence tout mon avenir et je veux consacrer mon présent à L'AUJOURD'HUI DE TON AMOUR. Donne-moi la PATIENCE d'accepter ce que je ne peux pas changer, le COURAGE de changer tout ce que je peux changer et la SAGESSE d'en connaître la différence.

2. Apprenez à vous pardonner vous-mêmes vos propres erreurs et vos propres manquements sans garder d'amertume pour le passé

Il est bien normal qu'un adolescent ou un jeune adulte conserve dans sa mémoire, son coeur et son esprit le souvenir de certaines blessures, humiliations, peines et déceptions accumulées depuis la tendre enfance. Tout cela prend des proportions encore plus importantes lorsque s'éveillent la sensibilité et la susceptibilité caractéristiques au processus d'identification pubertaire. Toutefois, il n'y a pas lieu pour autant d'être pris par la panique, car chacun a son histoire, sa psychogénèse, ses hauts et ses bas, son poids de souffrances et de blessures qui en font un être unique, tant sur le plan du caractère que du tempérament. Au lieu de nous laisser abattre en ruminant constamment les souvenirs endoloris d'une enfance plus ou moins heureuse, nous pouvons tout transformer, en positifs, les traits négatifs de notre existence, en les plaçant sur la croix de Jésus et en les purifiant dans son précieux Sang. La puissance de l'AMOUR, l'efficacité de la FOI en Jésus-Christ sont telles que toute semence de mort est transformée en germe de vie, en immortalité et en gloire. Voilà pourquoi il est juste de parler d'une véritable RÉVOLUTION DE L'AMOUR!

Ce dont je veux vous parler ici, bien chers jeunes, ce n'est pas d'autosuggestion, ni d'autohypnose. Je veux partager avec vous la puissance de la guérison intérieure et l'efficacité de l'autopardon.

En effet, la Parole de Dieu nous enseigne avec clarté que si nous sommes sauvés PAR LE SANG DE JÉSUS, nous sommes d'abord guéris PAR LES PLAIES DE JÉSUS. Permettez-moi de vous enseigner un moyen simple et efficace de régler une fois pour toute l'amertume, le ressentiment, voire la haine qui ont pu s'accumuler en vous jusqu'à ce jour. Profitez d'un moment de silence et de calme pour redire en vous-mêmes les trois petites prières que je vous suggère maintenant:

1. **Seigneur Jésus, je crois vraiment de toute mon âme que tu es venu sauver tous les hommes en sacrifiant ta vie pour leur salut. Mais je crois également que c'est par tes PLAIES que tu peux me guérir de toutes mes blessures intérieures. En ton NOM, Seigneur Jésus, dans la puissance du Saint-Esprit, guéris ma mémoire, mon coeur et mon esprit de toute amertume, peine et ressentiment par les mérites et l'efficacité de tes saintes plaies. Que cela soit fait pour la gloire de ton Père et la gloire de ton NOM.**

2. **Du fond de mon coeur, Seigneur Jésus, je renonce formellement à tout retour sur mon passé. Je pardonne à tous ceux qui, consciemment ou non, ont pu me blesser, me peiner ou m'humilier. Toi seul, Seigneur Jésus, connais la profondeur de mes blessures; toi seul connais la cause de mes souffrances; toi seul es donc en mesure de remédier radicalement à tout ce qui reste de racines empoisonnées dans le fond même de mon être. Par amour pour toi, confiant en ta puissance et en ta MISÉRICORDE, je veux opter radicalement pour le pardon de l'offense et pour le refus de m'apitoyer sur moi-même.**

3. **En ton NOM, Seigneur Jésus, par la PUISSANCE de l'Esprit Saint, je me pardonne à moi-même tous mes péchés, toutes mes erreurs, toutes mes infidé-**

lités que tu m'as déjà pardonnées par le sacrement de réconciliation. En ton NOM, Seigneur Jésus, par la PUISSANCE de l'Esprit Saint, je me libère de toutes les blessures du mal que j'ai pu faire consciemment ou non, et je me libère aussi de tout sentiment de culpabilité, d'amertume et de ressentiment. Enfin, Seigneur Jésus, je te prie de me combler de ton Esprit d'AMOUR MISÉRICORDIEUX, de ta PAIX, de ta JOIE et de tes DONS.

3. Pratiquez quotidiennement le pardon dans l'Esprit

Si l'on veut comprendre vraiment le sens de la RÉVOLUTION DE L'AMOUR, il importe par-dessus tout de se rappeler les enseignements de Jésus sur le pardon des offenses. D'abord: «Pardonnez-nous nos offenses COMME nous pardonnons à ceux qui nous ont offensés.»[1] Ensuite: «Pardonnez septante fois sept fois», [2] c'est-à-dire pardonnez sans cesse. Et enfin: «Pardonnez à vos ennemis, car les païens euxmêmes savent pardonner à leurs amis.»[3]

L'Homme affronte chaque jour des heurts, des conflits, des accrochages. S'il laisse s'accumuler les offenses, il devient de plus en plus difficile à son coeur de les pardonner. Par contre, s'il apprend à pardonner tous les jours à ceux qui l'ont offensé, la démarche du pardon devient non seulement plus facile, mais, à la longue, elle se transforme en une habitude de seconde nature. Elle se fait tout bonnement, sans trop d'effort, «ne laissant jamais le soleil se coucher sur la colère».[4]

Le meilleur conseil que je puisse vous donner, bien chers jeunes, c'est d'apprendre la pratique quoti-

(1) Matthieu 6:12
(2) Matthieu 18:21
(3) Matthieu 5:47
(4) Ephésiens 4:27

dienne du pardon dans l'Esprit Saint. Qu'est-ce que cela signifie? Dans le fond, c'est très simple: que vous ne comptez plus seulement sur vos propres moyens, vos propres sentiments ou vos propres émotions pour procéder au pardon d'autrui. En effet, le plus grand obstacle qui s'oppose au pardon, c'est l'ensemble des émotions sensibles qui nous paralysent, les sentiments agressifs que nous ne pouvons maîtriser, et l'ensemble des dispositions trop fragiles de notre MOI orgueuilleux et susceptible. Le moyen que je veux vous enseigner court-circuite complètement le jeu de vos sensibilités trop délicates car il s'agit de faire appel, par le moyen de la Foi, au nom puissant de Jésus et à l'action souveraine de l'Esprit Saint. Puisque toute la démarche est accomplie AU NOM DE JÉSUS, DANS LA PUISSANCE DU SAINT-ESPRIT, je n'ai plus à tenir compte de tout ce qui «scribouille, grenouille et gargouille» dans mon pauvre coeur lacéré et dans mes nerfs en boule. C'est Dieu qui passe en direct, c'est la Foi mise en action. C'est l'AMOUR MISÉRICOR-DIEUX mis en action, c'est... LA RÉVOLUTION DE L'AMOUR. Voici donc les trois petites prières suggé-rées pour pratiquer facilement le pardon quotidien des offenses:

PARDON

En ton NOM, Seigneur Jésus, par la puissance de ton Esprit Saint pour la gloire du Père, je pardonne à tous ceux que je connais ou ne connais pas et qui m'ont fait du mal dont je suis conscient ou non. Je leur pardonne à tous sans aucune exception tout le mal qu'ils m'ont fait consciemment ou non.

LIBÉRATION

En ton NOM, Seigneur Jésus, par la puissance de ton Esprit Saint, je libère toutes ces personnes pour toujours et à jamais de toute dette envers moi, sans aucune condition, sans aucune exception.

BÉNÉDICTION

Et je te prie Seigneur de les combler de ton Esprit d'AMOUR et de tes BÉNÉDICTIONS.

AMEN, ALLELUIA!

Deux remarques s'imposent ici avant de terminer cette section:

a. Il ne faudrait pas croire que cette pratique du pardon dispense qui que ce soit de recevoir le SACREMENT DU PARDON. Si belle que puisse être une prière, elle ne vaut jamais un sacrement.

b. Il est aussi opportun de rappeler que l'Église étant un corps visible doté de ministres et de sacrements institués par le Seigneur, donc le SACREMENT DU SALUT, nous avons besoin de signes visibles et sensibles pour nous réconcilier avec Dieu et nos frères. Il serait donc faux de croire que chacun peut s'arranger seul à seul avec le Seigneur, sans passer par le ministère de l'Église.

4. Explorez toutes les voies possibles de réconciliation

Pour la plupart des jeunes, il est à la fois très gênant et très humiliant de faire des gestes concrets de réconciliation avec les personnes impliquées dans un conflit. Toutefois, le Seigneur Jésus est formel sur ce point: «Si, en apportant ton offrande à l'autel, tu te rends compte que TON FRÈRE a quelque chose contre toi, laisse là ton offrande: va d'abord te réconcilier avec lui et reviens déposer ton sacrifice sur l'autel.»[1] Si pénible que cela puisse paraître au premier abord, la pratique concrète de cette démarche est pleine de surprises

_____

(1) Matthieu 5:23 ss.

et de consolations. En effet, on constate bien souvent que l'autre personne avait la même intention, sans oser faire la même démarche. En outre, on retrouve finalement de meilleurs amis, de meilleures relations et un meilleur climat de communication et de vie.

Là où la pratique est la plus fructueuse, c'est lorsque les jeunes eux-mêmes prennent l'initiative de demander pardon à leurs parents en profitant de cette occasion pour leur exprimer leur amour et leur tendresse. J'ai vu des miracles s'opérer par de telles démarches. À la grande surprise des jeunes, les parents eux-mêmes admettent souvent leurs propres torts et demandent pardon à leur tour. Quel meilleur moyen de bâtir une communauté familiale faite de confiance mutuelle, de respect et de communion (commune-union)!

Bien sûr, il faut savoir discerner quand et comment faire cela, et tenir compte des meilleures circonstances pour obtenir les résultats espérés. En agissant trop vite, trop brusquement, sans tact et sans jugement, on risque de tout gâcher et d'empirer sa situation, au lieu de l'améliorer. Vous voyez donc pourquoi la pratique du pardon quotidien est si importante pour faciliter la réconciliation interpersonnelle dont je parle ici.

Ce que je viens de dire pour les parents vaut également en ce qui concerne l'approche des professeurs, des responsables et des autres adultes avec qui, souvent, on peut avoir des heurts et des collisions frontales. Je sais, cependant, par expérience, que des merveilles se sont accomplies dans des CEGEPS et des polyvalentes, dans des équipes sportives et dans des centres de loisirs lorsque les jeunes eux-mêmes ont eu assez de courage et de responsabilité pour faire les premiers pas et renouer des liens après certaines ruptures parfois très pénibles. Le propre de LA RÉVOLUTION DE L'AMOUR est de renverser nos conceptions trop humaines et nos anciennes habitudes de conduite. On serait porté à croire que c'est aux adultes, aux personnes plus raisonnables, aux gens doués de plus de maturité de faire les premiers pas, mais tout cela est bien trop humain! Quand l'inverse se produit, c'est évidemment tout divin! Comme le dit le proverbe d'autrefois: «Tomber, c'est humain; pardonner, c'est divin.»

5. Témoignez de Jésus-Christ aux membres de votre famille

Une fois accomplies les étapes que je viens de décrire, il reste pourtant à passer à un stade plus délicat et certainement plus engageant, celui du témoignage de Jésus-Christ dans sa propre famille. C'est le Maître Lui-même qui, avant de quitter ce monde pour retourner vers son Père, disait à ses apôtres: «Vous serez mes témoins à Jérusalem.»[1] Or, que signifie Jérusalem pour un adolescent ou un jeune adulte? Jérusalem, c'est l'endroit précis où l'on risque le plus de se faire «crucifier» par ceux qu'on connaît et qu'on aime. Témoigner auprès des étrangers ou même des camarades de classe, c'est relativement facile et peu compromettant, mais témoigner auprès des membres de sa propre famille, c'est vraiment se mettre à blanc, c'est s'exposer à se faire ridiculiser et mérpiser par ceux qui peuvent nous répondre si facilement: «Pour qui te prends-tu, espèce de timbré! C'est comme rien, tu as dû capoter complètement lors de ta dernière retraite!» Mais ce risque, il faut avoir le courage et l'audace de le

_____
(1) Actes des Apôtres 1:8

courir pour le nom et la gloire de Jésus: «Celui qui rougira de moi devant les hommes, je rougirai de lui devant mon Père qui est dans les cieux; mais celui qui me confessera devant les hommes, je le confesserai devant mon Père qui est dans les cieux.»[1] Courage donc, bien chers jeunes! LA RÉVOLUTION DE L'AMOUR commence à la maison, dans votre propre cœur!

PAUL VI PARLE AUX JEUNES

Dans son merveilleux message sur l'évangélisation, voici ce que le Pape Paul VI disait à tous les jeunes du monde:

> **«Les circonstances nous invitent à une attention toute spéciale aux jeunes. Leur montée numérique et leur présence croissante dans la société, les problèmes qui les assaillent doivent éveiller en tous le souci de leur offrir avec zèle et intelligence l'idéal évangélique à connaître et à vivre. Mais il faut, par ailleurs, que les jeunes, bien formés dans la foi et la prière, deviennent toujours davantage les apôtres de la jeunesse. L'Église compte beaucoup sur cet apport et Nous-même, à bien des reprises, Nous avons manifesté notre pleine confiance envers eux.»** [2]

6. Devenez un SIGNE convaincu et convaincant d'unité et de paix

Pour que le témoignage auprès de votre famille ait un véritable impact en profondeur, il est nécessaire que la Parole proclamée corresponde réellement à votre vécu en tant que témoins. C'est la personne qui devient le signe par l'authenticité de son être et de son agir. Or, partout dans le monde, les jeunes affirment à

_____

(1) Marc 8:38
(2) Paul VI, *Evangelii Nuntiandi*, no 72.

corps et à cri «qu'ils ont horreur du factice, du falsifié, de l'imitation; qu'ils recherchent par-dessus tout la vérité et la transparence». [1]

En d'autres termes, il faut qu'il soit évident à première vue, aussi évident qu'un feu de circulation qui éclaire les carrefours de la ville, que vous croyez vraiment ce que vous annoncez! Que vous vivez pleinement ce que vous croyez! Que vous prêchez seulement ce que vous vivez! Autrement, c'est votre crédibilité personnelle et radicale qui est mise en cause.

Bien chers jeunes qui me lisez, vous êtes non seulement responsables de l'Évangile que vous proclamez, mais aussi solidaires avec tous les jeunes du monde pour ANNONCER JÉSUS-CHRIST AU COEUR DES RÉALITÉS HUMAINES, dont la plus immédiate et la plus significative reste, pour chacun de vous, votre propre famille, votre milieu scolaire, votre milieu de travail, votre milieu de compagnonage.

Le SIGNE qui ne parvient pas à transmettre avec évidence, rapidité et force le message qu'il doit véhiculer devient complètement insignifiant. Or, au cours des vingt dernières années, je n'ai jamais rencontré un jeune qui voulait passer pour «un grand insignifiant»! L'alternative est donc très simple: ou bien le jeune devient un SIGNE SIGNIFICATIF, convaincu et convainquant, ou bien il devient un SIGNE SANS AUCUNE SIGNIFICATION, un sel sans saveur, une lampe qui n'éclaire pas et un levain incapable de faire lever la pâte. D'ici l'an 2000, LA RÉVOLUTION DE L'AMOUR doit mettre en marche une authentique CIVILISATION DE L'AMOUR qui changera la surface de la terre!

---

(1) Paul VI, *Evangelii Nuntiandi*, no 76.

7. Priez sans cesse pour les membres de votre famille que vous ne pouvez rejoindre

Il est clair que, dans la conjoncture actuelle, plusieurs familles sont déjà dispersées. Lorsque le père et la mère sont séparés ou divorcés, la plupart des enfants cherchent eux-mêmes à se refaire une vie et jouissent de la plus grande autonomie possible. Par contre, dans un très grand nombre de cas, il n'y a que deux ou trois membres de la famille qui ont décidé de quitter le bercail pour s'affranchir de la domination parentale ou d'un certain climat de tension insupportable, irrespirable.

Quoi faire alors pour rejoindre ceux qui ne sont plus là, mais qu'on conserve dans le fond de son coeur et dans la trame de sa vie? La réponse, très chers jeunes, c'est saint Paul qui nous la fournit:

> «**Restez toujours joyeux. Priez sans cesse. En toute condition, soyez dans l'action de grâces. C'est la volonté de Dieu sur vous, dans le Christ Jésus.**»[1]

Vous n'avez aucune idée de la puissance et de l'efficacité de la prière, surtout quand cette prière prend la forme de la louange et de l'intercession! Oui, priez, priez sans cesse. Et si vous sentez que vous ne pouvez plus prier, donnez la chance à l'Esprit Saint de venir en aide à votre faiblesse pour prier en vous d'une façon ineffable, car il sait, Lui, pourquoi prier et, surtout, comment prier pour plaire au Père et obtenir ce qu'il y a de mieux pour ceux qui lui sont chers.

Trois petites suggestions pratiques:
1. Mettez-les en prison.
2. Mettez l'Esprit Saint à leur trousse.
3. Persévérez jusqu'au bout.

Je m'explique.

(1) 1 Thessaloniciens 5:16-18.

1. Quand je vous dis de mettre ces personnes en prison, je veux vous inviter à placer nommément chacune d'elles dans le centre même du COEUR DE JÉSUS, les rendant prisonniers d'Amour jusqu'au jour de leur complète libération. Oui, priez sur eux le Sang de Jésus; invoquez pour eux les Plaies de Jésus; appliquez-leur l'efficacité de la Croix de Jésus, et gardez-les en prison aussi longtemps qu'il le faudra pour que leur coeur et leur esprit soit entièrement transformés par le Christ.

2. Une fois qu'ils sont sécurisés dans la prison du COEUR DE JÉSUS, demandez à l'Esprit Saint de les placer sous la conviction de leur propre misère, de leur propre faiblesse et de leur propre indigence. Le rôle de l'Esprit Saint consiste à éclairer la conscience et le coeur de l'Homme pour bien mettre en évidence le vrai sens du péché et favoriser une authentique et durable conversion. Comme il est le GUIDE, le CONSEILLER, le CONSOLATEUR et l'AVOCAT, il saura bien trouver les paroles, les arguments et les réflexions salutaires qui ramèneront vers l'unité du foyer ceux qui s'en sont éloignés dans un mouvement de colère, d'impatience, de rage ou de révolte. De la même façon qu'il scelle l'unité même de la Trinité, le Saint-Esprit scelle l'unité de la famille, image terrestre de la Trinité éternelle. Ce que vous ne pouvez réussir en termes de relation et de communication, Lui peut le réaliser par mode de «théo-communication». Il est le spécialiste de la TSF: Transmission Sans Faiblesse. Il sait à la fois respecter la liberté de l'Homme et séduire le coeur, sans jamais violenter la volonté. Comme il est le seul à avoir accès à la conscience, au coeur et à l'esprit, il est le seul à pouvoir théo-communiquer vos propres demandes par sa TSF divine.

3. Pour que ce système fonctionne, il ne faut pas se contenter d'une prière à la sauvette ou de quelques Pater par-ci par-là. Non, c'est un véritable assaut de prières qu'il faut lancer auprès du trône de Dieu. C'est la prière persévérante qui obtient tout parce qu'elle attend tout du Dieu de l'impossible. Prier sans cesse signifie prier jour et nuit. Prier sans cesse, c'est faire de sa prière une respiration du coeur et de l'esprit. Quand on cesse de respirer, on crève. Quand on cesse de prier, on n'obtient rien. Est-ce impossible de prier jour et nuit? Absolument pas! Même quand je dors, mon coeur veille. Même quand je cesse humainement de prier, l'Esprit Saint prend la relève et prie sans relâche. De plus, Jésus se tient constamment devant son Père pour plaider en faveur de ceux qui nous sont chers. Or, ce n'est pas seulement par sa bouche que plaide le Verbe; c'est par les plaies béantes de son corps transpercé qu'Il se fait notre avocat irréfutable auprès de son Père miséricordieux. Ainsi se réalise une prière d'équipe, une sorte de course à relais spirituelle où vous passez votre bâton témoin à l'Esprit Saint, qui s'empresse aussitôt de le remettre au Fils Libérateur tant et aussi longtemps que le but n'est pas atteint. «CELUI QUI PERSÉVÈRE JUSQU'AU BOUT, C'EST CELUI-LÀ QUI EST EXAUCÉ». [1]

8. Invoquez l'Esprit Saint sur les mêmes personnes, afin qu'elles reçoivent «un coeur nouveau et un esprit nouveau».

Ne croyez pas, chers jeunes, que je me répète en abordant cette autre considération. En effet, il ne s'agit pas seulement d'obtenir la conversion pure et simple

_____
(1) Matthieu 10:22

de ceux qui se sont éloignés, car vous savez déjà par expérience que chacun est extrêmement fragile immédiatement après sa conversion. Rappelez-vous votre propre conversion, et songez un peu au temps qu'il vous a fallu pour retrouver votre équilibre et votre joie dans la plénitude de l'Esprit Saint.

Voici donc ce qu'il s'agit de demander à l'Esprit Saint: de combler l'attente et les besoins de ceux que la grâce a déjà rejoints au moment de leur conversion. Ne cessez pas de prier tant et aussi longtemps que vous n'aurez pas obtenu une véritable Pentecôte nouvelle pour vos êtres chers. C'est l'effusion de l'Esprit Saint qui vient consolider et confirmer la grâce de la conversion. La créature nouvelle qui vient de se réconcilier avec Dieu a besoin, en outre, D'UN COEUR NOUVEAU ET D'UN ESPRIT NOUVEAU, sans quoi des rechutes douloureuses sont inévitables.

Pourquoi se contenter de moins, quand on peut obtenir davantage du coeur inépuisable de Jésus et de la tendresse infinie du Père? C'est jusqu'au bout qu'il faut solliciter le COEUR DE DIEU pour obtenir la totalité, la plénitude des bénédictions qui les préparent au coeur contrit, broyé, humilié et repentant. Quand l'Esprit Saint a réussi à produire de tels résultats dans le coeur des croyants, c'est qu'il est prêt à parachever son oeuvre en venant Lui-même prendre possession de l'être et de l'esprit de ceux qu'Il a déjà convertis: «DONNEZ-LEUR, SEIGNEUR, UN COEUR NOUVEAU! METTEZ EN EUX, SEIGNEUR, UN ESPRIT NOUVEAU!»[1]

9. Accueillez les membres de votre famille

Entre le moment de la prière d'intercession et la

(1) Cf. Ezéchiel 36:26; Jérémie 36:31

réponse complète du Seigneur, il s'écoule nécessairement un certain temps. L'heure «H» de Dieu n'est pas l'heure «H» des hommes. Dieu calcule le temps avec une «Aeterna» et nous, les hommes, avec une «Timex» ordinaire.

L'attitude de l'amour, c'est l'accueil inconditionnel des autres, car la limite de l'amour est d'aimer sans limites. Il est donc vital de comprendre qu'en portant dans la prière les membres de sa famille, il faut les accueillir dans son coeur, dans sa vie et dans sa maison sans les juger, sans les condamner, sans les mépriser: «L'amour excuse tout, croit tout, espère tout, supporte tout.»[1]

Il était de mise autrefois de refuser l'accès de la maison à la brebis égarée, à la brebis galeuse, à la brebis noire de la famille. On n'avait rien compris à l'amour miséricordieux du BON PASTEUR. LA RÉVOLUTION DE L'AMOUR veut précisément changer tout cela. Quand on croit à la force de l'Amour, on sait que tôt ou tard il triomphera. Bien sûr, notre nature humaine s'impatiente devant la lenteur des autres. Toutefois, rappelons-nous notre propre cheminement: Dieu a su nous attendre; il a su supporter nos propres refus et nos propres lenteurs. Il a respecté intégralement notre liberté d'hommes. Aussi s'attend-Il à ce que nous agissions de la même façon envers nos proches, nos propres parents:

«LES HEURES DE NOS IMPATIENCES
NE SONT JAMAIS DES HEURES DE GRÂCES!»[2]

Il ne faut jamais oublier qu'avant de gagner les coeurs, il faut gagner la confiance des autres. Plus on

---

(1) 1 Corinthiens 13:7.

(2) S. Ignace de Loyola, *Exercices spirituels: le discernement des esprits.*

est proche parent, plus il faut mettre de temps pour rétablir le climat de confiance nécessaire. Quand l'autre a vraiment senti, dans le fond de son âme, qu'il est accepté pour lui-même et non pour sa conduite; quand l'autre a découvert qu'il n'est ni jugé, ni condamné, ni méprisé, alors la confiance devient possible et l'ouverture du coeur n'est pas loin à l'horizon. Le meilleur fondement de cette attitude n'est autre que celle du Christ envers la Samaritaine, la femme adultère, Zachée et Lévis devenu Matthieu. Savoir attendre, dans bien des cas, c'est savoir aimer réellement. Savoir attendre, c'est respecter les délais du Seigneur, qui font partie d'un plan d'ensemble d'amour dont nous ne comprendrons la délicatesse et la beauté que plus tard, lorsque les réconciliations seront devenues réalités.

10. Attendez dans UNE JOYEUSE EXPECTATIVE l'intervention du «Dieu de l'impossible»

Attendre, c'est bien! Savoir attendre, c'est mieux!

Il est une attente qui pèse au coeur de l'Homme, parce qu'elle se traduit par une simple résignation à un éventuel devenir: l'attente langoureuse de celui qui vit sans espoir. Puis, il y a l'attente fébrile qui énerve, excite et amène certains à croire qu'ils servent vraiment Dieu quand ils provoquent, de toute pièce, des «circonstances favorables». Il y a encore, l'attente d'incrédulité: c'est celle de ceux qui demandent, sans être certains de recevoir une réponse favorable. Par exemple, ceux qui disent: «Oui, c'est possible, mais c'est peu probable», ou encore: «Il n'y a qu'un miracle pour sauver la situation, mais je ne crois pas tellement aux miracles.»

L'attente provoquée par l'amour est aussi fille de

l'espérance. Il s'agit d'une attente remplie de certitude et de joie, d'une attente du coeur qui voit déjà le produit fini bien avant sa pleine réalisation. C'est cette joyeuse expectative qu'on appelle parfois LA LONGANIMITÉ.

Quelle que soit la demande qu'on fasse à Dieu, par le NOM PUISSANT DE JÉSUS, il est absolument indispensable de croire qu'on est déjà exaucé en principe, car celui qui prie dans le doute est semblable «aux flots de la mer que le vent soulève et agite. Qu'il ne s'imagine pas, celui-là, recevoir quoi que ce soit du Seigneur: homme à l'âme partagée, inconstant dans toutes ses voies.»[1]

Bien chers jeunes, Dieu a fait vos coeurs pour la JOIE et l'ESPÉRANCE. Il s'attend que vous Lui fassiez pleinement confiance lorsqu'Il vous dit: «ALLEZ AU LARGE!»[2] Ne restez pas amarrés au quai, le coeur lourd et l'âme en peine, vous répétant sans cesse: «Quand donc le Seigneur m'exaucera-t-il?» Bien au contraire: brisez les amarres, larguez larges vos voiles pour que le souffle de l'ESPÉRANCE vous conduise à l'endroit précis où Dieu a préparé le jour et l'heure de sa réponse pleine d'Amour. Puisque Dieu lui-même vous a tellement aimés le premier et qu'Il est allé vous chercher dans les ténèbres, au milieu de vos problèmes, au centre du gouffre où vous étiez tombés, Il fera la même chose pour ceux que vous aimez le plus. Vous avez le droit d'attendre dans la JOIE et l'ESPÉRANCE, car votre attente se fonde sur trois choses:

1. La FIDÉLITÉ de Dieu à son ALLIANCE,
2. L'EFFICACITÉ de la RÉDEMPTION du Christ,

---

(1) Jacques 1:7
(2) Luc 5:4

3. L'AMOUR MISÉRICORDIEUX d'un Dieu qui ne se démentira jamais.

Pour terminer, permettez-moi une petite analogie bien simple: quand vous fréquentez sérieusement un jeune garçon ou une jeune fille de votre âge, et que vous entrevoyez le rêve d'un mariage possible, votre attente n'est ni défaitiste, ni indifférente. Elle est, au contraire, pleine de joie et d'espérance, tellement votre coeur est certain que la réponse finale sera un «OUI» merveilleux. Ainsi en est-il quand vous faites appel à l'Alliance de Dieu pour rescaper tel ou tel membre de votre famille. Le temps importe peu: ce qui compte, c'est la certitude intérieure et l'expectative exubérante d'un «OUI» merveilleux de la part du Seigneur et Sauveur Jésus-Christ. Ainsi, vous pouvez chanter à pleine poitrine:

«LA JOIE DU SEIGNEUR EST MON SOUTIEN!»[1]
«CELUI QUI ESPÈRE EN TOI N'EST
JAMAIS DÉÇU!»[2]

(1) Néhémie 8:10
(2) Psaume 69:7

VIVRE DEBOUT

Denis Veilleux

REFRAIN: *Vivre debout*
Découvrir la vie
Se donner la main   (bis)
Pour rebâtir le monde

1. *J'ai regardé autour de moi*
   Tous ces visages d'amitié
   Nos yeux se sont redécouverts
   Pour regarder les mêmes choses.

2. *J'ai partagé autour de moi*
   Nos mains se sont réanimées
   Pour modeler tous nos espoirs
   Avec la glaise de nos coeurs.

3. *J'ai découvert autour de moi*
   Des hommes qui me ressemblaient
   De nos misères reconnues
   J'invente la terre nouvelle.

CHAPITRE V

LA RÉVOLUTION DE L'AMOUR
ET
SON RAYONNEMENT
DANS LE MONDE SCOLAIRE

Après avoir porté ses fruits dans le coeur des jeunes et transformé la famille en Église domestique, LA RÉVOLUTION DE L'AMOUR doit maintenant étendre son rayonnement dans le monde étudiant tout entier si elle veut engendrer une nouvelle CIVILISATION DE JUSTICE, D'AMOUR et DE PAIX.

Or, c'est à vous, bien chers jeunes, qui fréquentez les écoles secondaires, les polyvalentes, les CEGEPS et les universités que revient la responsabilité de porter témoignage de votre foi au Christ dans votre milieu:
— de traduire en termes de besoins étudiants l'expression du radicalisme de l'Évangile, et
— d'inventer la forme que tout cela doit prendre en termes concrets de métamorphose du milieu étudiant lui-même.

Il est fort intéressant de constater que la révolution marxiste, la révolution léniniste et la révolution maoïste ont toutes trois essentiellement éclaté dans les grands campus estudiantins. Lénine avait coutume de dire: «La meilleure façon de dominer un pays, c'est de contrôler sa jeunesse, et le meilleur moyen d'affaiblir un adversaire, c'est de corrompre sa jeunesse.» N'oublions pas, cependant, qu'il faisait la promotion d'une révolution de la haine *par* et *pour* la lutte des classes, l'affrontement sanglant des pauvres contre les riches, des prolétaires contre les capitalistes et des possédés contre les possédants. C'est d'ailleurs ce qui inspira Mao lorsqu'il lança, en Chine, sa révolution culturelle et dressa le monde étudiant contre l'«establishment» des communistes embourgeoisés. Vingt ans plus tard, la révolution culturelle porte ses fruits empoisonnés, et les nouveaux dirigeants de la Chine sont obligés de réparer les brisures incalculables provoquées par le raz-de-marée de la révolution estudiantine.

Ce dont nous parlons, ce que nous voulons susciter, ce n'est pas une révolution de la haine visant à entraîner la dislocation sociale, mais bien une RÉVOLUTION DE L'AMOUR qui nous permettra de bâtir ensemble une société nouvelle, une authentique et inédite CIVILISATION, inspirée des valeurs évangéliques et des exigences fraternelles de JUSTICE, d'AMOUR et de PAIX. Ce n'est pas la corruption de la jeunesse qui permettra de bâtir comme sur des ruines une nouvelle société et une nouvelle civilisation, mais, au contraire, l'édification de la jeunesse, grâce à laquelle naîtra une TERRE NOUVELLE et des CIEUX NOUVEAUX.

> «Si l'Église porte une attention privilégiée aux jeunes, c'est qu'ils sont, à toutes les époques, l'espérance à la fois du monde et de l'Église. Ceci est particulièrement vrai en notre temps, car il vous revient d'être les témoins, et surtout les artisans de la mise en oeuvre du Concile dans l'Église. Elle vit son éternelle jeunesse, qu'elle tient du Seigneur, dans la fraîcheur du renouveau, reprenant les énergies toujours vivantes de sa tradition, animée par la grâce du Saint-Esprit, pour être toujours plus fidèle à la bonne nouvelle de l'Évangile.»[1]

---

(1) *Jean-Paul II aux jeunes de Pax Romana*, 16 janvier 1981, Osservatore Romano, no 4, p. 2.

LES VALEURS CHRÉTIENNES:
UN HÉRITAGE À CONSERVER

De même que le Pape se soucie des jeunes, en tant que Pasteur universel de l'Église, les évêques du Québec se préoccupent de l'éducation familiale et scolaire des jeunes. Une certaine orientation du projet éducatif est en train de compromettre, voire même d'éliminer la transmission des valeurs chrétiennes essentielles.

Voici en quels termes nos évêques (AEQ) s'expriment:

«Envisagée dans une perspective morale, la sexualité humaine englobe toute la personne. Elle se manifeste comme une force qui tend à la rencontre des êtres, à la communication interpersonnelle, à une relation d'amitié ou d'amour. Elle suppose l'accueil, l'échange, le dialogue, l'attention et l'ouverture à l'autre: autant de valeurs qui ont des incidences morales. Elle appelle aussi la complémentarité des sexes ainsi que l'a voulu le Créateur: *Homme et femme, les créa* (Genèse: 1,27) En conséquence, dans une vision chrétienne de la sexualité, l'homme et la femme sont invités à répondre à cette intention divine d'une triple manière:

— par l'amour qui fait entrer en *communion* avec les autres et surtout avec la personne de l'autre sexe en vue de former le couple humain

— par l'amour qui est *fidélité* envers les autres et aussi envers l'autre choisi(e) comme compagnon ou compagne de sa vie dans un engagement sans retour et sans limite

— par l'amour qui est *fécondité* au plan physique ou au plan spirituel; fécondité génératrice de vie humaine dont l'enfant est le plus beau fruit, fécondité génératrice aussi de vie spirituelle par la consécration totale à Dieu et à ses frères en vue de répondre aux appels urgents de *l'humanité d'aujourd'hui, des pauvres surtout et de tous ceux qui souffrent. C'est l'engagement en vue du Royaume.*

Telles sont les grandes valeurs de vie qui gravitent autour de l'amour et qui sont présentes dans la conception chrétienne de la sexualité.

Nous savons combien cette grande et mystérieuse force de l'amour, auquel l'être humain est appelé, peut faire vibrer le coeur des jeunes. Nous voulons ici leur rappeler qu'ils portent en eux une richesse immense qu'ils ont à découvrir et à développer au fur et à mesure de leur croissance. Une réalité aussi riche et précieuse que l'amour exige, pour grandir et s'épanouir, d'être cultivée dans des conditions favorables: goût de vivre, respect de soi et des autres, sens de l'admiration devant le chef-d'oeuvre de la création qu'est le corps humain, sens de la dignité humaine, de la maîtrise de soi et de la responsabilité personnelle, souci de se protéger contre toutes les formes de pollution morale et de puiser à des sources saines et vivifiantes, enfin conscience de sa dignité de baptisé et d'enfant de Dieu. La droiture de l'esprit et du coeur n'est pas moins nécessaire à la santé de l'âme que la pureté de l'air et de l'eau à la santé du corps.

Une éducation sexuelle conforme aux principes de base d'une école catholique saura donc faire entendre aux jeunes l'appel au respect de la personne et de la vie, au dépassement et au don de soi.»[1]

LA CONFESSIONNALITÉ: UN DROIT ET UN DEVOIR

D'une certaine manière, la jeunesse québécoise jouit d'un statut privilégié si on la compare à la jeunesse européenne et soviétique. En effet, le Droit constitutionnel prévoit et défend la confessionnalité des écoles de la province. Cela signifie que tous les projets éducationnels doivent être conçus en fonction des normes et des valeurs véhiculées par les principales confessions: catholiques, protestantes et judaïques. Chaque étudiant catholique jouit donc du droit inaliénable de

(1) *Déclaration de l'A E Q* (Comité épiscopal de l'éducation), no 4, mai 1981.

recevoir un enseignement — à tous les niveaux — conforme à la foi chrétienne et à l'enseignement officiel de l'Église. Or, en pratique, ce droit vous a été partiellement ravi par les idéologues de l'éducation qui sont à l'oeuvre depuis la révolution tranquille des années soixante. Une minorité active et militante a donc réussi *en vingt ans* à priver la majorité étudiante de ses droits constitutionnels.

Comment ce phénomène a-t-il pu se produire? Tout simplement quand la majorité silencieuse s'est laissé manipuler par une minorité vocale, pour ne pas dire vociférante. C'est bien d'affirmer avoir des droits, encore faut-il savoir assumer ses devoirs et ses obligations. Or, au Québec, l'ensemble de la jeunesse étudiante a préféré confier ses responsabilités et ses devoirs à une minorité séculariste et laïcisante engagée à fond dans la déconfessionalisation des écoles.

Bien sûr, cette responsabilité incombe d'abord aux parents et aux divers responsables officiels de l'éducation au Québec, mais cela ne dispense en rien les étudiants, à tous les niveaux, de revendiquer leurs droits à la confessionnalité, à condition, bien sûr, d'exercer les devoirs qui correspondent à ces droits. Trois exemples suffiront à illustrer ma pensée:

1. Dans la très vaste majorité des écoles publiques au Québec, on s'est empressé de retirer tous les crucifix des halls d'entrée, des principaux locaux. Savez-vous pourquoi? Parce qu'il était inconvenant de traumatiser les jeunes et de les soumettre *au dolorisme névrotique de la religion* en plaçant sous leurs yeux le Divin Crucifié, le Rédempteur des hommes!

2. Dans la programmation scolaire, tout a été organisé de telle façon que les cours de catéchèse soient donnés aux moments les moins favorables à l'attention

et à l'intérêt des élèves; d'ailleurs, n'importe quelle excuse suffisait à faire sauter l'heure de catéchèse pour la remplacer par une autre activité. Graduellement, les contenus des cours ont été «exorcisés» de tout ce qui pouvait avoir une connotation chrétienne ou religieuse. Savez-vous pourquoi? Parce qu'il fallait *combattre l'aliénation* qui pouvait tôt ou tard empêcher les jeunes de développer un sain jugement de caractère objectif, scientifique et libre!

3. Quant à la pastorale, on a réduit peu à peu les budgets d'abord, puis les locaux et, enfin, le personnel lui-même, de sorte que, dans certaines écoles publiques il n'existe plus aujourd'hui de Service de pastorale proprement dit.

Il a suffi de quelques décisions administratives et de certaines pressions de groupes minoritaires pour vous priver de vos droits dans ces trois domaines. Et comme vous, les jeunes, n'avez pas réagi, tout s'est passé comme un charme, à votre propre détriment. Si plusieurs de nos écoles supérieures sont devenues des jungles, c'est parce que, privée de connaissance et de soutien moral, la jeunesse étudiante a suivi la voie la plus facile, laissant libre cours à tous les débordements les plus déshumanisants. Pourquoi tant de jeunes sont-ils aujourd'hui tellement écoeurés du climat qui existe dans leurs institutions d'enseignement? Parce qu'ils ne trouvent plus rien qui corresponde à leur soif d'absolu, à leur idéal humano-chrétien et à leurs aspirations légitimes. Seule la RÉVOLUTION DE L'AMOUR peut rendre plus vivable et plus humaine l'atmosphère globale où nos jeunes ont le droit d'évoluer.

Pour corroborer ce que je viens d'affirmer, il est très facile de constater que le «grand progrès éducatif» consiste à étouffer la Foi dès le Secondaire I, plutôt qu'à l'université. N'est-ce pas étrange qu'un système scolaire qui se dit confessionnel mène concrètement non pas à l'épanouissement de la Foi mais bien à sa perte prématurée? C'est d'un non-sens alarmant, d'un absurde à faire crier!

COMMENT RÉAGIR DEVANT TOUT CELA?

Comment vous, les jeunes, pouvez-vous changer la situation pour réintroduire le Christ et la pensée chrétienne non seulement dans vos cours, mais aussi dans vos écoles? C'est bien simple: en exerçant, en toute solidarité, vos responsabilités de jeunes adultes chrétiens et en exigeant le retour des crucifix dans vos établissements, du Christ dans votre enseignement et de l'esprit chrétien dans vos institutions.

Permettez-moi de vous donner deux exemples concrets qui ont été vécus récemment au Québec. Dans une certaine classe du Secondaire IV, on avait substitué la sexologie à la catéchèse. Or, constatant qu'ils étaient manipulés, les élèves eux-mêmes n'ont pas hésité à scander ensemble, au début du cours suivant: «On veut Jésus! On veut Jésus! On veut Jésus!» L'autre exemple concerne les services de pastorale dans une très grosse polyvalente de la Rive Sud. Les élèves se sont rendu compte que le budget de la pastorale était attribué à d'autres activités, alors que leurs propres projets étaient mis en veilleuse faute d'argent. Le Conseil des élèves n'a pas craint de rencontrer la Direction afin de rétablir, en toute justice, les budgets et leurs attributions tels que prévus au début de l'année. Voilà ce que j'appelle «prendre ses responsabilités!»

Si vous voulez, chers jeunes, continuer à jouir du droit de la confessionnalité dans vos écoles, il vous faut absolument défendre ces droits d'une façon énergique et assumer vos devoirs avec un sens aigu de responsabilité.

JEAN-PAUL II VOUS PARLE

«Vous, qui êtes dans le monde étudiant, vos inquiétudes, comme vos espérances et votre action sont marquées par votre situation particulière, transitoire par définition. Vous vivez en effet une période de formation dans laquelle les préoccupations personnelles immédiates, comme celles de votre avenir professionnel, familial et social ne peuvent pas ne pas avoir une grande place. Elles vous rendent aussi particulièrement aptes à saisir les changements en cours et les appels de notre monde.

En tant qu'étudiants, vous vivez aussi dans des milieux scolaires et universitaires dont le but est la diffusion et le progrès du savoir et de la culture, mais qui sont en même temps des lieux où vous vous trouvez affrontés à une multiplicité quasi infinie de techniques, de messages, de propositions, d'idéologies. C'est là que vous êtes appelés à vous former, à motiver votre choix et à porter témoignage de votre foi au Seigneur Jésus-Christ, qui nous donne, comme je l'ai montré à plusieurs reprises, et en particulier dans mes deux encycliques, la vérité de l'Homme indissolublement reliée à la vérité de Dieu.»[1]

VOS ÉVÊQUES VOUS PARLENT:

La mise en oeuvre d'un «projet éducatif chrétien» demande une étroite collaboration et une mutuelle confiance entre tous ceux qu'il doit normalement impliquer: parents, éducateurs et étudiants.

Voyons un peu en quels termes les évêques du

---

(1) *Jean-Paul II aux Jeunes de Pax Romana*, 16 janvier 1981, Osservatore Romano, no 4, p. 2.

Québec abordent cette question complexe et exigeante:

«En milieu scolaire, l'éducation sexuelle doit respecter le développement psychologique des jeunes et éviter de projeter sur eux les problèmes des adultes. L'éducateur affecté à cette tâche se montrera respectueux du jeune en tenant compte des stades de son développement, des niveaux primaire et secondaire, des différents milieux, bref, en cherchant à répondre à ses véritables besoins. C'est là une exigence première de tout projet éducatif centré sur l'élève. Concernant le choix de l'éducateur, le document du Comité catholique *L'éducation sexuelle dans les milieux scolaires catholiques du Québec* présente, dans un développement plus élaboré, des orientations auxquelles on peut se référer.

Mais ce qui nous semble particulièrement important dans un projet d'éducation sexuelle à l'école, c'est la qualité humaine des éducateurs chargés de cette responsabilité. Face aux appels souvent contradictoires qui retentissent en eux et autour d'eux, les jeunes ont surtout besoin de la présence d'éducateurs capables de les accompagner dans l'apprentissage qu'ils ont à faire de la décision morale et d'une conduite responsable. Pour remplir efficacement ce rôle, les éducateurs doivent d'abord avoir la confiance des jeunes et être, à leurs yeux, des témoins de valeurs incarnées dans la vie. Au fond d'eux-mêmes, les jeunes recherchent des éducateurs qui projettent l'image d'adultes épanouis ayant assumé leur sexualité d'homme ou de femme dans une vie pleinement engagée et heureuse.

À ces qualités humaines fondamentales devront s'ajouter la compétence, le sens pédagogique, la capacité de travailler en collaboration notamment avec les parents et les membres du personnel de l'école.

De tels éducateurs existent, nous en sommes convaincus. Il faudra cependant prévoir, comme on le fait lors de l'implantation d'un nouveau programme, des sessions de sensibilisation et de perfectionnement à l'intention de ces éducateurs scolaires et des parents appelés à travailler avec eux.

La famille et l'école se doivent de donner à l'enfant et à l'adolescent le meilleur d'elles-mêmes. C'est en conjuguant leurs efforts qu'elles y parviendront. Déjà des structures de participation sont en place en vue d'assurer une plus grande qualité de la vie en milieu scolaire: comité de parents, comité d'école, conseil d'orientation. S'il est un domaine où la qualité doit transparaître, c'est bien celui de l'éducation sexuelle, qui touche aux dynamismes les plus profonds et les plus complexes de l'être humain.

C'est le défi que les adultes ont à relever, avec lucidité et sérénité, afin d'offrir aux jeunes les meilleures chances d'épanouissement personnel et social. Quant aux jeunes, ils pourront répondre de façon plus consciente et responsable à leur vocation d'hommes et de femmes à laquelle ils ont été appelés dans le plan du Créateur, et à leur vocation chrétienne de fils et de filles de Dieu.»[1]

ATTITUDES POSITIVES DANS L'ACTION

Mettons au clair tout de suite ce qui pourrait paraître ambigu dans les propos que je viens de tenir. Lorsqu'on parle de droits et de devoirs, on est tellement habitué de réagir selon un mode revendicateur, agressif et même frondeur, qu'on pourrait facilement m'accuser de monter les élèves contre leurs professeurs ou leur institution.

Puisqu'il s'agit d'une RÉVOLUTION DE L'AMOUR, la méthode d'action doit, elle aussi, être inspirée par l'Amour. Il n'est donc pas question de préconiser des attitudes négatives, faites à la fois d'intransigeance, d'impatience et de subversion. Je dirais même que c'est exactement le contraire qui est de mise:

---

(1) *Déclaration de l'A E Q,* mai 1981, no 5.

- au lieu de subversion, la conversion;
- au lieu d'agressivité, la fermeté;
- au lieu d'impatience, la patience et la longanimité;
- au lieu d'intransigeance, le dialogue, le respect et
  la communion.

La dynamique de la lutte des classes n'a pas sa place dans la RÉVOLUTION DE L'AMOUR. Celle-ci fait davantage appel à la dynamique fraternelle de la solidarité, de la complémentarité et de la responsabilité. Tout doit se dérouler dans un climat de respect mutuel et dans la recherche communautaire des meilleurs moyens pour atteindre la fin spécifique de l'éducation elle-même: *l'épanouissement de l'être tout entier dans le plein exercice de sa liberté d'homme et d'enfant de Dieu.*

Les élèves et les étudiants qui veulent se mettre sérieusement à la tâche ont de nombreux moyens pour transformer l'atmosphère et l'esprit qui règnent dans les écoles:
- le Conseil des élèves et des étudiants
- le Comité de pastorale
- le Service d'évangélisation
- les principales associations scolaires et étudiantes
- le comité professeurs-étudiants
- le journal scolaire
- les affiches et les babillards
- la radio scolaire
- les journées d'étude

Là où ces moyens n'existent pas, il faut les créer; là où ils existent, savoir s'en servir positivement. Avez-vous fait l'inventaire de ce qui existe dans votre milieu scolaire pour promouvoir la communication avec les divers groupes concernés? Vous serez sans doute étonnés de constater que des mécanismes existent déjà pour faciliter les rapports élèves et professeurs, élèves et administration, élèves et direction, élèves-parents-maîtres. C'est là qu'il s'agit de prouver sa conviction, ses valeurs et ses principes. C'est grâce à ces réseaux de communication qu'il devient possible de transmettre aux autres le fruit de ses réflexions et l'exposé de ses aspirations les plus fondamentales.

Puis, il y a encore le dialogue avec vos propres parents. Comment voulez-vous que les parents interviennent au coeur des différents débats ou consultations, si vous ne les mettez pas au courant vous-mêmes des structures que vous aimeriez voir instaurées afin d'améliorer le climat et l'esprit de votre école? Bien des parents s'abstiennent de participer aux activités parents-maîtres tout simplement parce que vous n'échangez jamais avec eux vos inquiétudes ou vos préoccupations! Vous renforcez par là les réflexes de la majorité silencieuse, et vous permettez ainsi à la minorité militante d'occuper tout l'espace laissé par votre indifférence.

LA RÉVOLUTION DE L'AMOUR ne deviendra jamais une réalité dans le monde de l'enseignement si les élèves et les étudiants eux-mêmes n'assument pas leur propre responsabilité en tant que «sel de la terre, lumière du monde» et «levain dans la pâte». Sachez que le mal n'a pas en soi de force de diffusion; il se répand partout où le bien et les gens de bien ne font rien. Par exemple, la vente de la drogue dans le milieu scolaire deviendrait pratiquement impossible si la majorité des étudiants s'assuraient que les «pushers» se fassent pousser à leur tour; la licence sexuelle ne pourrait facilement se pratiquer si la vigilance des jeunes responsables mettait mal à l'aise ceux qui voudraient s'y livrer; la pornographie ne pourrait pas se répandre comme une infection du corps étudiant si les jeunes chrétiens apportaient plus souvent l'antidote de leur témoignage de pureté, de vérité et d'authenticité. Je dirais même plus: la littérature pornographique n'aurait plus sa raison d'être si l'on faisait davantage pour répandre auprès des étudiants une littérature de qualité, adaptée à leurs besoins et capable de les entraîner à la noblesse, au dépassement et à l'engagement. Il ne suffit pas de dénoncer le mal et de partir en croisade contre lui; il est tellement plus efficace de pratiquer le bien et de rayonner autour de soi la joie de vivre, l'enthousiasme de l'idéal et la créativité de l'amour. Quand il n'y a pas de vide à remplir, le mal n'a plus d'espace à occuper. Comblez l'attente des jeunes étudiants qui vous entourent, et vous les verrez intéressés à connaître davantage ce que vous aurez su leur présenter par votre propre vécu plein d'attrait.

Une belle manière d'illustrer ce que je viens de vous dire a été pratiqué par David Wilkerson dans les milieux scolaires de Harlem, à New York, pourris par la drogue, la violence et la sexualité.

Qu'est-ce que l'amour? demandait-il:

«L'AMOUR, c'est le temps passé auprès d'un lit, essuyant la sueur d'un front brûlant; c'est l'aide apportée à un adolescent plié en deux sous l'effet des crampes de la désintoxication; c'est la MAIN qui tire une couverture chaude sur des épaules frissonnantes; c'est la VOIX rassurant que bientôt le plus dur sera passé». [1]

Cette inspiration a donné naissance à «TEEN-CHALLENGE», un organisme qui rayonne mainte-

---

(1) David Wilkerson, *La Croix et le poignard*, Ed. canadienne, Mississauga, Ont. 1963

nant dans plusieurs campus universitaires et collégiaux des États-Unis et de l'Europe centrale. Pourquoi donc le même amour ne serait-il pas capable d'inspirer une action similaire dans tous les campus de nos vastes écoles secondaires et polyvalentes, de nos CEGEPS et de nos universités? Il ne dépend que de vous que la même chose arrive chez nous, produisant les mêmes effets bénéfiques et les mêmes transformations sociales.

RÉVOLUTION ET LIBERTÉ

Si l'on y pense attentivement, le projet éducationnel dans son ensemble devrait normalement permettre à tous les jeunes d'accéder progressivement à la plénitude de la liberté humaine et chrétienne. C'est lorsque l'Homme sait exercer sa liberté sous l'impulsion de l'AMOUR qu'il atteint vraiment son épanouissement en tant qu'ÊTRE et sa pleine capacité d'AGIR. La liberté, en effet, n'est pas une hypothèse, mais la conclusion d'une longue évolution vers la maturité, et le couronnement d'une éducation saine, équilibrée et humanisante. Pour atteindre sa liberté intégrale, l'être humain doit réussir à intégrer dans sa personnalité globale tous les éléments qui répondront à ses divers besoins: physiques, psychologiques, affectifs, intellectuels, moraux, spirituels et surnaturels. Lorsqu'une ou l'autre de ces dimensions fait défaut au développement de la personnalité, il en résulte un déséquilibre qui met en danger la liberté elle-même.

Aussi l'éducation globale doit-elle offrir des réponses valables et adéquates aux besoins de l'être humain ci-haut mentionnés. Tout projet éducationnel exempt des dimensions morales, spirituelles et surnaturelles privent le jeune élève ou étudiant des possibilités de jouir entièrement de la liberté à laquelle il a droit. Les idéologies courantes qui inspirent les programmes québécois d'éducation sont tellement imprégnées de matérialisme, d'hédonisme, de pragmatisme et d'individualisme que, finalement, c'est *la liberté même des étudiants* qui en est atteinte et appauvrie.

Trop de jeunes, hélas, conçoivent simplement la liberté comme la possibilité de faire ce qu'on veut, quand on veut, comme on veut et aussi longtemps qu'on veut. Ils sont donc profondément frustrés quand la réalité de la vie et le sens des responsabilités imposent des limites à l'exercice de cette pseudo-liberté. Ils se sentent alors emprisonnés dans un carcan social, tout fait de conventions artificielles, et perçoivent toutes formes d'autorité comme une atteinte directe à leur liberté. S'il y a tant de révolte et de violence dans les milieux scolaires, c'est que beaucoup de jeunes se croient atteints dans leur dignité et leur personnalité par des restrictions qu'ils jugent arbitraires et inopportunes. Partant d'une fausse conception de la liberté, ils en concluent qu'ils sont devenus les victimes innocentes d'un «establishment» tout-puissant qui les empêche de s'épanouir totalement.

La juste conception de la liberté est bien différente; le rôle de l'éducation consiste à transmettre aux jeunes le contenu véritable de cette valeur et de cette richesse qui, à juste titre, leur paraît sacrée et inviolable. Sur ce dernier point, les jeunes ont parfaitement raison, car, de fait, la liberté est un droit imprescriptible, une valeur sacrée et une richesse inaliénable. Toutefois, cela n'est vrai que dans la mesure où la liberté est définie comme «une aptitude radicale à pouvoir faire le choix des meilleurs moyens pour atteindre la plus noble des fins, qui est le *plus-être* et le *mieux-être* de tout l'Homme et de tout dans l'Homme». Voilà ce que propose LA RÉVOLUTION DE L'AMOUR au coeur de la réalité du monde de l'éducation:

1. connaître vraiment l'Homme et sa finalité ultime;
2. lui apprendre quels sont les meilleurs moyens d'atteindre cette fin;
3. faciliter ses choix en lui permettant de s'inspirer toujours des principes essentiels de l'AMOUR.

Ceci rejoint l'enseignement qu'a laissé le Pape Jean-Paul II aux jeunes étudiants catholiques du mouvement international «PAX ROMANA»:

«C'est pourquoi je vous donne comme consigne, chers amis, de vous fixer d'abord sur l'essentiel. Par votre baptême et la profession de la foi de l'Église, vous êtes des hommes nouveaux, selon la parole de saint Paul. Soyez vraiment convertis au Seigneur, imprégnés, jusque dans vos choix de vie, de l'esprit des béatitudes, soucieux d'une intense vie spirituelle, surtout eucharistique. Voici le fondement: les programmes, discussions et débats de vos mouvements ne serviraient à rien sans ce profond enracinement religieux et spirituel.

Soyez des témoins de la Vérité. Vous la recherchez dans vos études et dans la discipline qu'elles imposent. Puissent ces études contribuer à votre développement intellectuel le plus large possible, vous donner le sens de la complexité du réel non seulement physique mais humain, la capacité et la volonté de ne pas vous arrêter à des positions trop simples. Approfondissez aussi, comme je viens de le dire, votre identité de jeunes intellectuels catholiques. Une des tâches qui vous reviennent, c'est de surmonter, dans la pensée et dans l'action, la dichotomie mise par les divers courants de pensée, anciens aussi bien que contemporains, entre Dieu et l'Homme, entre théocentrisme et anthropocentrisme. Plus votre action, comme celle de l'Église, veut se centrer sur l'Homme, plus elle doit trouver ouvertement son centre en

Dieu, c'est-à-dire s'orienter en Jésus-Christ vers le Père (cf. *Dives in misericordia*, no 1). Ceci, chers amis, fonde la nécessaire docilité au magistère de l'Église. Par cette fidélité à la vérité entière, vous vous mettrez à l'abri des tentations de la pure idéologie et de son agitation, des slogans simplificateurs, des mots d'ordre de la violence qui détruit et ne construit rien».[1]

BIEN CHERS JEUNES, VOUS QUE JÉSUS AIME TANT, SACHEZ QUE LA LIBERTÉ N'EST PAS LE FRUIT DU LAISSER-ALLER OU DU LAISSER-FAIRE, MAIS PLUTÔT LE RÉSULTAT DE L'ASCÈSE ET DE LA MAÎTRISE DE SOI!

RÉVOLUTION ET COMMUNAUTÉ

Le défi de transformer le milieu scolaire dépasse les capacités d'un seul individu ou même de quelques unités perdues dans la masse des élèves et des étudiants. Plus la population scolaire est élevée dans une même institution, plus il est indispensable de constituer des communautés chrétiennes vivantes, des cellules d'«agapè» prêtes à collaborer avec les services de pastorale, les services aux étudiants, le corps professoral, l'administration et la direction. Bien qu'on ne puisse parler de communauté de base au sens strict, c'est vers cette formule qu'il faut s'orienter. Il s'agit de créer des fraternités dont chacun des membres est prêt à assumer les normes et les valeurs de l'Évangile, la vie dans l'Esprit et les moyens de sanctification comme la prière, les sacrements, les charismes et les ministères.

Le grand problème qui confronte les jeunes des vas-

---

(1) *Jean-Paul II aux étudiants de Pax Romana,* Osservatore Romano, 16 janvier 1981, no 4, p. 2, col. #3.

tes campus scolaires reste et demeure la perte de leur identité et l'impression de dépersonnalisation, d'impuissance et de dilution dans la masse. Or, le rôle précis des communautés d'«agapè» est de redonner aux élèves et aux étudiants le sens de leur appartenance, de leur dignité, de leur responsabilité personnelle et de l'engagement chrétien. Pour atteindre ces objectifs, il est indispensable de créer un climat d'accueil chaleureux, une fraternité authentiquement vécue et ressentie et, bien sûr, une atmosphère de confiance mutuelle exprimée concrètement par la solidarité de prière, de vie et d'action apostolique au coeur même de l'univers scolaire où l'on s'est inséré.

L'heure est donc à la prise de position, conséquente à une prise de conscience en profondeur; l'heure est à la communion de coeur et d'esprit de tous ceux qui veulent vivre le radicalisme évangélique; l'heure est à l'évangélisation de la culture, des milieux culturels et des agents éducateurs, afin que LA RÉVOLUTION DE L'AMOUR achemine progressivement le monde étudiant vers LA CIVILISATION DE L'AMOUR d'ici l'an 2000.

Voici d'ailleurs les réflexions, pleines de sagesse, que Jean-Paul II adresse aux jeunes étudiants du monde entier:

«Voici quelques principes que je voulais vous rappeler pour guider votre désir d'approfondissement et d'action. En vous y référant, vous annoncerez inlassablement l'Évangile à vos camarades, et vous collaborerez à l'implantation de communautés chrétiennes vivantes dans vos milieux; vous ferez croître aussi la participation des jeunes à vos mouvements. Ainsi, vous mettrez vraiment en oeuvre la communion ecclésiale, en contact étroit avec vos pasteurs, ouverts à la collaboration avec d'autres mouvements catholiques et bien insérés dans les réseaux communautaires, paroissiaux et diocésains de la vie de l'Église. Dès maintenant aussi, et plus encore lorsque vous serez engagés dans une vie professionnelle responsable, vous serez des chrétiens et des chrétiennes capables d'apporter une contribution originale à l'évangélisation de la culture de vos pays, au service du développement intégral, matériel et spirituel, de tous les hommes».[1]

Pour que la RÉVOLUTION DE L'AMOUR affecte positivement et influence en profondeur tout le milieu étudiant, trois grands principes éclaireront votre action:

L'UNITÉ DANS LA DIVERSITÉ
LA RESPONSABILITÉ DANS LA MATURITÉ
et, par dessus tout,
LA CHARITÉ

---

[1] Idem.

Nous construisons le royaume

Création Alpec

1. Nous construisons le Royaume de Dieu
   Quand nos luttes enracinent l'Amour (bis)

2. Nous construisons le Royaume de Dieu
   Quand se brisent les liens du péché (bis)

3. Nous construisons le Royaume de Dieu
   Quand le pauvre a sa place chez nous (bis)

4. Nous construisons le Royaume de Dieu
   Quand s'accordent nos coeurs en l'Esprit
   (bis)

5. Nous construisons le Royaume de Dieu
   Quand s'unissent nos forces d'aimer (bis)

6. Nous construisons le Royaume de Dieu
   Quand se pose une pierre en Église (bis)

7. Nous construisons le Royaume de Dieu
   Quand rayonnent la paix et la joie (bis)

CHAPITRE VI

LA RÉVOLUTION DE L'AMOUR
ET
SON IMPACT SUR LA SOCIÉTÉ

Lorsque Jésus est venu sur la terre des hommes, son plan d'Amour ne visait pas seulement le salut individuel de chaque personne humaine. Bien sûr, il est venu sauver tout l'Homme, tout dans l'Homme et tous les hommes. Mais, son dessein de miséricorde incluait le salut des communautés humaines: peuples, races et nations. C'est un royaume qu'il est venu fonder: «*un royaume de VIE et de VÉRITÉ, un royaume de GRÂCE et de SAINTETÉ, un royaume de JUSTICE, D'AMOUR et de PAIX*». [1] Or, s'il n'est pas DE ce monde, ce royaume est quand même conçu POUR ce monde. En d'autres termes, il a été institué dans le but de transformer les relations inter-humaines sur la terre des hommes, de sorte que la pensée, la parole et la vérité de Jésus inspirent la rénovation radicale des divers secteurs d'activité humaine qui concerne la Cité, la Nation et l'Humanité tout entière.

Ce qui assure la stabilité d'une société humaine, c'est l'ensemble des institutions politiques, économiques, culturelles et sociales. Un Évangile qui ne vise pas la rechristianisation de ces diverses institutions ne mérite pas le nom D'ÉVANGILE DE JÉSUS-CHRIST. Comprenons-nous bien, l'Évangile n'est pas un manuel de politique. Il s'adresse au coeur des hommes qui sont engagés dans le vie politique, pour que

---

(1) Préface spéciale de la fête du Christ-Roi.

ceux-ci deviennent des SIGNES ET DES TÉMOINS DU ROYAUME, au sein même de l'arène politique, capables d'élaborer des formes de systèmes politiques qui reflètent vraiment l'Évangile et la pensée du coeur de Jésus-Christ.

L'Évangile n'est pas un manuel d'économie, mais son but est de toucher le coeur des économistes afin que, inspirés par l'Évangile, ceux-ci puissent élaborer une conception de l'économie qui respecte intégralement la primauté des valeurs spirituelles sur les valeurs matérielles, la dignité et les droits inaliénables de l'Homme, la possibilité d'atteindre un PLUS-ÊTRE et un MIEUX-ÊTRE humains PAR et DANS leur façon d'assumer leurs responsabilités économiques au sein d'une société juste, honnête et humanisante.

L'Évangile de Jésus-Christ n'est pas un manuel socio-culturel, mais il s'adresse au coeur des responsables de la vie culturelle des nations et des peuples. Grâce à l'évangélisation de ses agents socio-culturels, il devient possible de transmettre les valeurs, les normes, les messages et les bienfaits du VRAI, du BEAU, du BIEN et du BON, par et à travers leurs activités culturelles.

La finalité de l'évangélisation est précisément de faire passer les sociétés humaines du paganisme au christianisme, des ténèbres à la lumière, de l'idolâtrie à l'adoration du vrai Dieu, de la violence à la paix, de l'injustice à la justice, de l'immoralité à la sainteté.

Bien chers jeunes, vous devez bien vous demander ce que ces réflexions viennent faire dans un enseignement qui vise principalement les 18-25? Que vous le vouliez ou non, vous êtes à la fois des citoyens du Royaume de Dieu et des citoyens à part entière des pays dans lesquels vous vivez. Votre responsabilité chrétienne consiste donc à transformer votre milieu social par la puissance de la RÉVOLUTION DE L'AMOUR.

LA RÉVOLUTION DE L'AMOUR ET L'ÉCONOMIE

Votre rôle est beaucoup plus important que vous ne le pensez. Bien sûr, vous n'occupez pas dans la société des postes de décision, et vous ne possédez pas des comptes de banque qui vous classent parmi les puissants de ce monde. Toutefois, les jeunes accaparent ensemble 25 p. cent du marché mondial du vêtement, 37 p. cent du marché mondial des loisirs, 49 p. cent du marché mondial des disques et autres équipements reliés à la musique. Ils représentent 100 p. cent des usagers des institutions scolaires dont les budgets annuels, à l'échelle nationale, dépassent le milliard. Je ne dis rien de la place que vous occupez dans l'industrie de l'automobile, des motocyclettes et autres véhicules motorisés. En somme, dans le simple secteur économique, votre seule présence modifie les indices du produit national brut et les cotes des Bourses financières de nos grandes institutions mondiales. Concrètement, cela signifie qu'un changement de comportement, de demande et de pouvoir d'achat peut modifier radicalement le cours des activités économiques du pays. Vous avez donc en main un instrument inconnu, mais d'une puissance inouïe pour influencer la marche globale de la vie économique non seulement de la province, mais aussi de la nation et du monde.

Laissez-moi vous donner trois exemples:

1. la mode
2. les imprimés
3. les loisirs

1. La mode

Dans le monde de la mode seulement, l'avènement du *jean* a révolutionné entièrement l'industrie vestimentaire. Aujourd'hui, les *blue jeans* ne sont plus le signe et l'attribution du prolétariat ouvrier; la mode du *jean* a forcé les grands fabricants de vêtements à mettre sur le marché des *jeans* de haute qualité et de haute couture, aux noms prestigieux. À cause de ce seul article, on a investi des milliards de dollars et l'on a transformé des usines complètes pour passer du prêt-à-porter *square* au complet *jean*-jacket.

La mode capillaire, c'est-à-dire la coupe des cheveux, a été bousculée depuis l'époque d'Elvis Presley. Chaque nouvel artiste a introduit une nouvelle coupe de cheveux et chaque starlette, une coiffure originale et imprévisible (pensez seulement à la mode Bo Derek!). Cette révolution a obligé tous les coiffeurs et coiffeuses à se recycler de fond en comble, les salon de coiffure à s'équiper de A à Z et les institutions financières à bailler des fonds pour garantir ces modifications imposées par les jeunes. Ici encore, c'est par milliards que se chiffrent les investissements réalisés pour répondre aux besoins de la mode-jeunesse. Je vous laisse le soin de multiplier par autant d'exemples que vous le voulez l'impact économique partout créé par la révolution de la mode sur les marchés mondiaux.

Imaginez ce qui pourrait se produire dans le domaine de la mode si la jeunesse chrétienne du monde entreprenait d'exiger tel style de vêtements décents, tel style de coupe de cheveux, telle façon de porter des emblèmes chrétiens comme complément vestimentaire! Au lieu de breloques représentant les signes du zodiaque, les symboles de fertilité et les «gadgets» à message, les jeunes pourraient bien se mettre à porter de croix en or 14 carats, des symboles chrétiens et des logos à message évangélique: cela révolutionnerait l'industrie et le commerce par le simple jeu de l'offre et de la demande à cause du volume que les jeunes représentent sur le marché mondial!

2. Les imprimés

Il existe actuellement sur le marché, dans toutes les langues, plus de 5 000 revues et périodiques adressés spécifiquement aux jeunes: revues sportives, musicales et cinématographiques, romans-feuilletons, magazines sur la mode, les loisirs, etc. On dépense annuellement des milliards de dollars dans le domaine de l'édition pour satisfaire les besoins et les exigences de la clientèle-jeunesse. En outre, des sommes fabuleuses sont dépensées pour des journaux, des hebdos et des mensuels qui n'ont d'autre but que de séduire les jeunes. Si j'ajoute à cela l'industrie énorme de la pornographie, il faudrait ajouter un autre quatre milliards par année, car il n'y a rien qui intéresse autant les jeunes que les livres et les revues POUR ADULTES SEULEMENT. Il faut bien dire, à la décharge des jeunes, que les magnats de la pornographie sont tous des gens de 50 ans et plus, donc des exploiteurs éhontés de la curiosité bien naturelle qu'ont les jeunes pour tout ce qui a trait à l'activité sexuelle. Il n'en reste pas moins que, dans le seul domaine des imprimés, votre pouvoir d'achat constitue un moyen de pression sur la quantité et la qualitié des publications mondiales.

Comprenez-vous maintenant ce que pourrait signifier la RÉVOLUTION DE L'AMOUR si la jeunesse chrétienne du monde entier se solidarisait pour dire «NON» à toute une gamme de publications et dire «OUI» à la création d'un secteur privilégié pour re-

vues, hebdos et autres imprimés capables de répondre
à l'attente et à la soif des jeunes, tout en leur procurant
le message raffraîchissant et stimulant de l'Évangile?
Sans le savoir, vous pouvez influencer des milliards
d'investissements par le seul changement de vos habitudes et de vos exigences de lecture. Qu'attendez-
vous pour changer la face de ce monde?

3. Les loisirs

Les exigences de la jeunesse et le goût plus éduqué
des jeunes dans le domaine sportif a complètement
modifié la structure de l'industrie sportive, la qualité
des équipements proprement dits, la variété et la
souplesse des vêtements propres à chaque sport, la
construction de nouveaux complexes sportifs de caractère olympique, dans tous les pays du monde: voilà
autant de révolutions économiques qu'a déclenchées
la pression des jeunes impliqués dans le domaine particulier des sports. Depuis 25 ans, plus personne ne s'y
reconnaît: même les champions des années soixante
avouent candidement que, s'ils avaient eu à leur dispo-
sition les facilités sportives dont jouissent les jeunes de
1981, ils auraient augmenté de beaucoup leur perfor-
mance et leur records. Ils s'étaient habitués à un équi-
pement de moindre qualité, à des salons sportifs beaucoup plus modestes et à des terrains d'exercice dans
les cours d'école ou dans les ruelles. Aujourd'hui, plus
un seul jeune ne consentirait à pratiquer quelque sport
que ce soit dans de si minables conditions et avec de
tels moyens de fortune.

Dans le domaine récréatif, la même constatation s'im-
pose. Plus question d'aller danser dans la salle parois-
siale ou dans le gymnase de l'école, non jamais! Aujourd'hui, la jeunesse exige des salles discos, des salles

à gogo, des salles rétros, des salles aussi variées que les goûts capricieux des jeunes qui veulent s'amuser à tout prix. L'industrie des loisirs a connu cinq réajustements depuis l'époque d'Elvis Presley. Ce qui faisait l'affaire des amateurs du rock-and-roll, dans les années cinquante, ne satisfait plus le goût ni les exigences des jeunes de l'ère spatiale: il faut des rayons lasers, des boules de cristal pivotantes, des jeux de lumières éblouissants, des pistes de danse à l'épreuve de tous les chocs inventés par les styles de danse des jeunes contemporains.

Des milliards sont investis chaque année non seulement dans les clubs et les salles de danse, mais encore dans les cinémas, les salles de spectacles, les «pleasure-dromes» construits tout à neuf pour la clientèle-jeunesse dont les revenus sont assez imposants pour rembourser l'investissement initial en moins de cinq ans. Cette prodigieuse révolution des loisirs a donc forcé les propriétaires de salles à faire des emprunts importants auprès des banques, lesquelles ont dû se protéger par des investissements énormes par la voie des trusts, des Bourses et des autres secteurs clé de la finance.

Si la jeunesse peut ainsi conditionner le monde économique au point de provoquer des investissements financiers jugés rentables par les exploiteurs, imaginez un peu ce que LA RÉVOLUTION DE L'AMOUR pourrait produire si la jeunesse chrétienne se mettait à exiger solidairement des cinémas chrétiens, des cafés chrétiens, des centres athlétiques chrétiens, etc.!

Les milliards qui se dépensent actuellement pour endormir et envoûter la jeunesse qui a soif de loisirs pourraient tout aussi bien être investis en faveur de la même jeunesse, mais cette fois pour l'édifier, l'éduquer et lui faire rechercher l'excellence, la beauté, l'harmonie, la joie et le plein épanouissement. L'offre correspond toujours à la demande: c'est un principe fondamental de l'économie. Que la demande des jeunes chrétiens se fasse sentir à la grandeur du monde, et l'offre augmentera. Voyez donc comment vous, les jeunes, pouvez transformer tout le domaine des loisirs par une RÉVOLUTION DE L'AMOUR qui soit efficace, radicale et exigeante.

LA RÉVOLUTION DE L'AMOUR ET LA POLITIQUE

Les hommes politiques sont parfaitement conscients du rôle capital que pourrait et devrait jouer la jeunesse dans la vie de la province et du pays. Depuis longtemps, chaque parti politique a mis sur pied un Comité-Jeunesse dans le but de sensibiliser les 18-25 aux grands débats qui concernent le présent et l'avenir de la nation et du pays. Toutefois, ce n'est que tout récemment qu'ils ont promulgué une loi accordant le droit de vote à tous les jeunes âgés de 18 à 21 ans. Pourquoi pensez-vous qu'une telle loi a été conçue et adoptée? Tout simplement parce que la jeunesse des 18-25 représente une force dynamique capable de renouveler radicalement le vieil *establishment* de chaque parti et les programmes d'action périmés.

Ce que veulent les hommes politiques c'est du sang neuf, des idées neuves, des bouffées de fraîcheur et, en dernière analyse, la possibilité de former un nouveau *leadership* politique à même un bassin plus vaste de la population votante. Le simple nombre de votes accrus a changé le rapport de forces entre les anciens et les nouveaux partis. Les partis politiques qui semblaient immuables dans les années quarante et soixante ont été détrônés pour ne pas dire engloutis par la vague-jeunesse résultant des votes des 18 à 21 ans.

Ce nouveau phénomène a même eu une conséquence immédiate qu'il était facile de prévoir: l'élection comme députés à la Chambre des Communes et à l'Assemblée nationale de jeunes candidats de moins de 30 ans. En effet, le député fédéral du comté de Shefford, M. Jean Lapierre, est âgé de 25 ans seulement; au gouvernement provincial, nous retrouvons un jeune député de 24 ans, M. Gilles Baril.

L'autre phénomène parallèle est l'importance que prennent les conseils des jeunes au sein de chaque parti politique. Encore tout récememnt, le Comité des jeunes libéraux du Québec contestait vigoureusement le *leadership* de M. Claude Ryan et menaçait de saborder le Comité lui-même si M. Ryan était réélu à la chefferie. Ce qui se manifeste au sein des partis se répercute également sur les autres corps intermédiaires comme la Jeune Chambre de commerce, dont l'impact politique ne cesse de croître tant sur le plan municipal et provincial que fédéral. Eux aussi veulent se donner des *leaders* jeunes et dynamiques, âgés de 30 à 35 ans. La plupart des organismes parapolitiques, des organismes de pression intermédiaires et des lobbyistes gouvernementaux se recrutent parmi les jeunes dont l'âge varie entre 30 et 35 ans. Autant de conséquences qui résultent du droit de vote accordé à 18 ans plutôt qu'à 21 ans.

À ce point particulier de notre histoire politique nationale, la jeunesse n'a donc pas seulement son mot à dire: elle exerce aussi une telle pression qu'elle est en train de modifier la physionomie et le profil sociopolitique de la plupart de nos institutions publiques. Autrefois, les jeunes n'avaient qu'à se taire et à écouter; aujourd'hui, ils parlent beaucoup sans toujours savoir écouter, mais constituent néanmoins un capital-jeunesse qu'on valorise, utilise et apprécie enfin.

Le temps est donc mûr, bien chers jeunes, pour que la RÉVOLUTION DE L'AMOUR produise son impact original et innovateur dans le monde de la politique municipale, provinciale et fédérale. Le temps est venu pour les jeunes chrétiens de faire valoir leurs convictions et d'intervenir dans les grands débats qui secouent la place publique et déterminent, en 1981, les grandes orientations politiques des vingt prochaines années. Si les jeunes chrétiens d'aujourd'hui veulent vraiment qu'une CIVILISATION DE L'AMOUR advienne dans notre société d'ici l'an 2000, c'est aujourd'hui même qu'ils doivent s'engager à faire rayonner les valeurs de l'Évangile et à promouvoir le PLUS-ÊTRE et le MIEUX-ÊTRE de l'Homme proposés par le Christ et par l'Église. Depuis trop longtemps, la jeunesse chrétienne fait partie de la majorité silencieuse. Le moment est venu pour elle de faire entendre sa voix et sa foi sur la place publique afin de passer ensuite DE LA PAROLE AUX ACTES et de changer ainsi les rapports de forces existants. Éventuellement, toute la législation peut en être modifiée si les jeunes chrétiens savent seulement se solidariser en un front commun d'action politique inspiré par l'Évangile et la doctrine sociale de l'Église. Plus rien ne peut y faire obstacle, sinon votre propre refus de vous engager socio-politiquement en tant que citoyens baptisés, confirmés et députés à l'apostolat.

Pour illustrer ma pensée, je vous donne trois exemples concrets:
1. le mariage

2. la famille
3. la moralité

1. Le mariage

Depuis quelques années, la législation sur le mariage a connu des changements si profonds qu'on a peine à croire qu'une même société ait pu changer aussi rapidement en moins de 15 ans. Dans la législation canadienne et québécoise, le mariage a toujours été considéré comme une institution indissoluble, stable, de caractère monogamique. Or, depuis quinze ans, les diverses législations concernant la séparation et le divorce ont rendu cette institution fragile, vulnérable et pratiquement imprévisible. Mais ce n'est rien encore: déjà, on entend parler de «couples ouverts», ou admettant la possibilité de plusieurs partenaires conjugaux; de «contrats de mariage à terme», c'est-à-dire de contrats renouvelables après deux, cinq ou dix ans par consentement mutuel, et de «couples homosexuels» ayant les mêmes droits, les mêmes privilèges et les mêmes devoirs que tous les couples hétérosexuels. Certains milieux plus avant-gardistes conçoivent facilement l'abolition pure et simple, par voie législative, de la notion même de couple et de famille.

Devant des mutations aussi profondes et radicales, dont les conséquences sont extrêmement graves pour le pays et la nation, qu'est-ce que les jeunes chrétiens ont à dire? Ce que la révolution sexuelle a détruit, ne faudrait-il pas que la RÉVOLUTION DE L'AMOUR le rétablisse? Il semble que les seuls qui aient quelque chose de valable à dire dans ce domaine soient les sexologues, les sociologues, les démographes et les futurologistes (Alvin Toffler).

Est-il concevable que des jeunes chrétiens se désintéressent tellement de la chose politique qu'ils ne se sentent pas appelés à un engagement personnel et communautaire face au défi lancé par une société pratiquement paganisée et certainement en voie de dissolution. C'est une véritable armée de jeunes croyants qu'il faudrait voir à l'avant-garde de l'action politique et sociale pour redonner à la famille son vrai sens, sa vraie valeur, son vrai rôle et sa vocation spécifique. Où se trouvent donc ces jeunes militants chrétiens dans les ailes politiques des divers partis? J'ai beau chercher, mais je ne vois pas de groupes actifs qui font valoir les exigences de la foi chrétienne et de la loi naturelle dans ce débat pourtant vital et stratégique!

2. La famille

La famille elle-même est également atteinte par la remise en question du droit à la vie, du droit à la confidentialité, du droit à la liberté et du droit à la dignité. En effet, notre société semble vouloir se défaire de tout ce qui garantit à la famille sa mission, son rôle et sa valeur intrinsèque. Bien que la Loi sur l'avortement n'ait même pas encore été approuvée par le corps législatif, on constate qu'elle est de plus en plus appliquée dans les faits. C'est le droit même à la vie qui est contesté par ceux qui affirment le droit de disposer de leur propre corps comme ils l'entendent, et de terminer leur grossesse à volonté. Les politiques du ministère québécois des Affaires sociales et du ministère fédéral de la Santé favorisent de diverses manières la libération la plus effarante au niveau de cette pratique meurtrière.

Même la confidentialité de la vie de famille est violée impunément par la multiplicité des enquêtes qui, sous des apparences bénignes, exposent publiquement la vie intime des parents et des enfants. Le moindre prétexte suffit pour mettre sur pied des enquêtes sociologiques en vue de rapports auprès des tribunaux, à partir du moment où quelqu'un, à tort ou à raison, porte plainte contre les parents ou les enfants. Les enfants peuvent même intenter des poursuites contre leurs parents, au moment où ils traversent leur crise d'adolescence faite de révolte et de violence. A plainte déposée, enquête obligatoire. C'est ainsi qu'on s'infiltre dans le sanctuaire de la famille, espérant trouver quelque scandale juteux pour discréditer les époux et l'institution familiale elle-même. Et que dire encore des indiscrétions commises par les institutions financiaires sous prétexte de connaître la solvabilité et la crédibilité d'une famille qui veut faire un emprunt important ou acheter à crédit: maison, meubles ou automobile! Tout est permis pour faire enquête, même la mise à jour de situations familiales pénibles et humiliantes!

Avec la poursuite d'un objectif politique qui s'appelle LA CROISSANCE DE POPULATION ZÉRO, les parents se voient menacés dans leur liberté d'avoir plus que deux enfants. Toutes sortes de pression sont exercées sur les couples pour réduire la natalité: la popularisation des moyens contraceptifs, la ligature des trompes, la vasectomie, l'eugénisme et même l'euthanasie passive. Il est clair que si cette tendance continue à croître, des législations seront éventuellement votées pour justifier et légitimer cette dénatalité nocive. On parle même, dans certains milieux intellectuels, de restreindre par voie législative la liberté des couples d'avoir plus de deux enfants. Le troisième enfant entraînerait certaines pénalités sociales, et le quatrième serait irrévocablement châtié par la stérilisation des parents. À l'heure actuelle, nous n'en sommes pas encore rendus là, mais vous admettrez comme moi que les lois sur l'habitation et le logement ne prévoient plus des maisons familiales et des appartements capables de loger cinq personnes et plus. En contraignant la liberté de la famille par le biais de l'habitation, on prépare déjà le climat permettant de priver la famille de la liberté de s'accroître selon la volonté de parents responsables.

Quant à la dignité de la famille, la conjoncture économique et politique est en train de réduire au chômage les pères et les mères de famille déjà intégrés au marché du travail. En plus de ce chômage et de l'inflation, existe le phénomène de la pauvreté chronique, qui tient des familles entières en-dessous du seuil de la pauvreté. Comment donc assumer ses responsabilités premières? Comment ne pas dénoncer les absurdités résultant de certaines législations qui empêchent les membres d'une famille de trouver des appoints financiers pour subvenir aux besoins légitimes de la dignité familiale? Ceux qui reçoivent des prestations du Bien-être social ne peuvent occuper des emplois sous peine de perdre leur maigres revenus. Ceux qui reçoivent des allocations ou des subsides se voient ensuite pénalisés par l'impôt sur le revenu et d'autres moyens qui les privent des menus avantages que leur offrait ce supplément provisoire. Que dire maintenant des personnes âgées qui se voient contraintes, pour continuer à recevoir leur pension de vieillesse, de vivre en concubinage et de se priver de la visite de leurs enfants tout simplement parce qu'elles n'en ont plus les moyens? Voilà autant d'exemples qui démontrent combien la société contemporaine a perdu le sens de la dignité familiale, alors que la famille est la cellule première et indispensable de la société elle-même!

Devant tous ces dilemmes, ces absurdités, cette grossière inconséquence, qu'est-ce que les jeunes ont à dire? Quels moyens les jeunes chrétiens ont-ils pris pour défendre les droits, le caractère sacré et l'inviolabilité de la famille? Vous, qui me lisez présentement, ne sentez-vous pas au fond de vous-mêmes un appel irrésistible à la vocation politique ou, du moins, à la nécessité de former des groupes de jeunes militants chrétiens pour rétablir dans la vie politique de la nation les conditions essentielles et indispensables permettant de redonner à la famille sa dignité, sa liberté, son intimité et sa fécondité?

Ce que je vous propose, c'est de vous engager dans la RÉVOLUTION DE L'AMOUR afin de changer ce qui doit être changé, d'améliorer ce qui doit être amélioré, et d'éliminer carrément ce qui doit être éliminé. Si vous, les jeunes, n'avez ni le courage ni la force de parler au nom du Christ et de l'Évangile, alors que nous sommes encore en pleine démocratie, comment espérez-vous empêcher que notre société ne sombre dans un chaos politique qui appellera, par sa nature, le despotisme et la tyrannie? Oui, je le répète, l'heure est à l'ENGAGEMENT, et l'un des secteurs qui souffrent le plus de l'absence d'un témoignage chrétien significatif, c'est bien celui de la politique! Vous serez alors présence d'Eglise au sein même de la société, et conscience de la société au sein même de l'Église. Voilà, me semble-t-il, votre double vocation!

LA RÉVOLUTION DE L'AMOUR ET LA CULTURE

Un des domaines qui fascinent et forment la jeunesse est, sans aucun doute, celui de la culture. C'est par les arts, en effet, que s'établit la communion des âmes et des esprits, que se transmet l'âme d'une nation et l'esprit d'un peuple. Il suffit de constater comment les jeunes écoutent avec intensité les paroles des divers chansonniers — surtout les chansonniers à message — pour constater à quel point ils s'identifient à la mystique des mots et à l'envoûtement des mélodies. Il est même étrange de voir avec quelle facilité les jeunes retiennent les paroles anglaises, italiennes ou espagnoles de certaines chansons, sans connaître aucune de ces langues! Oui, la culture demeure le lieu privilégié de la communion des hommes, au-delà de toutes les frontières politiques, économiques ou sociales.

Les sept grands arts s'efforcent de traduire en formes, en couleurs, en sons, en images, en rythmes, en gestes et en mimes les émotions, les sentiments, les états d'âme qui correspondent le mieux à la richesse incommensurable accumulée par l'expérience d'un peuple au cours de son histoire, de ses tragédies et de ses moments de gloire. À mon avis, la culture constitue la plus grande richesse nationale et spirituelle d'un peuple, d'une race ou d'une tribu. Voilà pourquoi nul ne peut rester indifférent à la culture, même la personne la moins cultivée. La culture exprime l'âme d'une communauté nationale, mais, veut veut pas, elle en transforme aussi le style de vie et les coutumes.

Les jeunes sont tellement sensibles à la culture, même inconsciemment, que leur façon de protester contre n'importe quelle société consiste à former rapidement leur propre sous-culture ou contre-culture, conscients que c'est le moyen le plus apte à exprimer fortement leurs valeurs, leurs normes, leur vision de l'Homme, leur vision du monde et leur interprétation de l'univers.

Cet attrait des jeunes pour la culture (ou pour la contre-culture) se manifeste par leur soif insatiable de musique, de cinéma, de télévision, de littérature, de danse, d'expression corporelle et d'expression littéraire qui va de la poésie la plus sublime aux graffitis les plus révoltants. Ce qui se passe au plus intime de l'être, ce qui se vit de plus intense chez l'Homme doit s'exprimer d'une manière ou d'une autre par le moyen de la culture, fût-elle celle de la violence, du crime et du terrorisme. Tout le mystère de l'Homme passe à travers la culture pour rendre visible l'invisible qui hante son cœur et son esprit. C'est pourquoi les jeunes se laissent happer d'instinct par les courants culturels ou sous-culturels de leurs milieux de vie: le quartier, la cité, la province, le pays.

Étant donné l'importance de la réalité culturelle, tous les révolutionnaires sans exception ont cherché à traduire leur inspiration et leur vision des choses par les moyens artistiques de communication: théâtre, cinéma, *happening*, discours, manifestations avec chants et slogans, pour être sûrs que leur message passe et soit bien compris.

LA RÉVOLUTION DE L'AMOUR, bien chers jeunes, doit parvenir tôt ou tard à s'exprimer selon un mode culturel qui lui est propre. J'irai même plus loin, et j'affirmerai que la RÉVOLUTION DE L'AMOUR doit engendrer les éléments culturels nécessaires à LA CIVILISATION DE L'AMOUR, qui doit surgir dans les années et les siècles qui viennent: si l'on veut que la culture de la civilisation du XXIe siècle soit pleinement imprégnée des valeurs chrétiennes et des richesses évangéliques, il faut commencer tout de suite à inventer un théâtre chrétien, un cinéma chrétien, une littérature chrétienne, une chorégraphie chrétienne, un art pictural chrétien, en somme, tout un univers artistique et culturel qui soit à la hauteur du Christ, de son Évangile et de son Église. Comme le disait Chesterton: «On ne peut pas dire que le christianisme est un échec, pour la simple raison qu'il n'a jamais été essayé pour de vrai».

Cependant, il est important que je vous mette en garde contre une équivoque qui laisserait croire qu'évangélisation et culture se situent sur le même plan. Cela, le Pape Paul VI l'a exprimé d'une façon claire et précise dans son exhortation apostolique *Evangelii Nuntiandi*:

> «Nous pourrions exprimer tout cela en disant: il importe d'évangéliser — non pas de façon décorative, comme par un vernis superficiel, mais de façon vitale, en profondeur et jusque dans leurs racines — la culture et les cultures de l'Homme, dans le sens riche et large que ces termes ont dans *Gaudium et spes*, partant toujours de la personne et revenant toujours aux rapports des personnes entre elles et avec Dieu.
>
> L'Évangile et, donc, l'évangélisation ne s'identifient certes pas avec la culture et sont indépendants à l'égard de toutes les cultures. Et pourtant, le règne que l'Évangile annonce est vécu par des hommes profondément liés à une culture, et la construction du Royaume ne peut pas ne pas emprunter les éléments de la culture et des cultures humaines. Indépendants à l'égard des cultures, Évangile et évangélisation ne sont pas nécessairement incompatibles avec elles, mais capables de les imprégner toutes sans s'asservir à aucune.
>
> La rupture entre Évangile et culture est sans doute le drame de notre époque, comme ce fut aussi celui d'autres époques. Aussi faut-il faire tous les efforts en vue d'une généreuse évangélisation de la culture, plus exactement des cultures. Elles doivent être régénérées par l'impact de la Bonne Nouvelle. Mais cet

impact ne se produira pas si la Bonne Nouvelle n'est pas proclamée.»[1]

Cet enseignement de Paul VI nous fait comprendre que l'Évangile ne peut pas se substituer à la culture ni se mettre à sa remorque. Bien au contraire, le rôle de l'Évangile est de permettre à la culture d'atteindre à un niveau de dépassement, d'excellence et de beauté qu'elle ne saurait atteindre par elle-même, ni par ses propres moyens. De même que la personne de Jésus-Christ révèle à l'Homme toute la plénitude et la richesse de son être, ainsi l'Évangile révèle à la culture toutes les ressources et les trésors de son héritage. Ce que le souffle évangélique a inspiré à la RENAISSANCE, LA RÉVOLUTION DE L'AMOUR doit l'insuffler à la RÉGÉNÉRESCENCE.

Quel univers de créativité s'ouvre donc à vous, bien chers jeunes que j'aime tant! Tout vous est possible, même l'impossible, car vous êtes en face d'une toile vierge que vous pouvez peindre en toute liberté, en toute spontanéité et en toute authenticité. Comme le disait saint Paul avec tant de justesse: «Tout vous appartient; vous appartenez au Christ et le Christ appartient au Père».[2] Il ne reste plus qu'à «tout instaurer dans le Christ Jésus», dont la Seigneurie universelle peut être célébrée par tous les arts que les cultures pourront jamais concevoir.

LA RÉVOLUTION DE L'AMOUR ET LA SOCIÉTÉ

Le plus grand drame de la société contemporaine réside dans la perte du vrai sens de l'Amour tant sur le

---

(1) Paul VI, *Evangelii Nuntiandi*, no 20.
(2) I Corinthiens 3:22 23

plan humain que sur le plan chrétien. Tous les drames étudiés par les sciences humaines, depuis la psychologie jusqu'à la criminologie en passant par l'anthropologie, résultent des carences de l'Amour au cours de l'évolution des individus, des nations et des peuples. Les grands hôpitaux psychiatriques et les grands pénitenciers démontrent en termes déchirants ce qui arrive quand l'Homme ne sait ni aimer, ni être aimé. Et, notre époque, sur ce plan, est plus révélatrice que les autres, puisque le terrorisme est devenu un phénomène international si exaspérant qu'il ose même attenter à la vie d'un Martin Luther King, d'un John Kennedy, d'un Ronald Reagan aussi bien que d'un Jean-Paul II.

Jusqu'à maintenant, la violence, même terroriste, se voulait au service des aspirations de l'Homme vers la liberté: liberté politique, liberté sociale, liberté économique, liberté culturelle. Cependant, depuis peu, cette violence se déchaîne aveuglément, sans même pouvoir se justifier par la noblesse de la cause défendue. Ce qu'on recherche, c'est l'établissement d'un climat de terreur, la création d'un chaos qui, après tout, n'est pas pire que la menace nucléaire qui pèse sur la tête de l'humanité entière. La société est malade, le monde est malade, et la civilisation elle-même est sur le point d'expirer. Les fracas du terrorisme de la guerre ne sont en somme que ses derniers râlements.

Dans ce climat de tension extrême et de panique existentielle, plus rien n'est stable, plus rien n'est sécurisant, plus rien n'est immuable. L'économie mondiale tremble de fièvre, la politique est en équilibre instable, non seulement dans son axe Est-ouest habituel, mais encore dans son axe Nord-sud qui est encore plus effrayant! La culture est en train de vomir ses poisons les plus nocifs, et la société, en général, connaît ses tragédies les plus horribles: pensez deux minutes aux meurtres d'Atlanta, au commerce du sexe et de la drogue, au taux de plus en plus élevé de suicides et aux enfers des grandes métropoles du monde. Tout semble justifier un vaste désespoir! Tout semble conduire à un nouvel holocauste! Tout revêt des couleurs apocalyptiques où l'Homme et l'humanité sont, à la fois, victimes et criminels.

Que faire devant une situation aussi désespérante que désespérée? Il nous reste l'AMOUR, l'AMOUR, l'AMOUR!

La solution des vastes problèmes qui affligent les nations et les peuples ne se trouvera jamais dans les principes de la sociologie, de la psychologie, de la psychiatrie, de la démographie et de l'anthropologie. Toutes ces sciences humaines, si exactes quelles puissent être, ne sont en mesure de nous dire qu'une seule chose: VOILÀ L'IMAGE EXACTE DU MONDE TEL QU'IL EST! Jamais elles ne pourront dire: VOILÀ L'IMAGE DU MONDE TEL QU'IL POURRAIT ÊTRE S'IL S'OUVRAIT À L'AMOUR, À LA MISÉRICORDE ET À LA RÉCONCILIATION! Toute la science des hommes combinée ne parviendra jamais à sécréter une once de Sagesse surnaturelle, alors qu'une seule parole d'Évangile peut inspirer une tonne de Sagesse à tous les hommes de science qui oeuvrent dans tout l'univers.

C'est pourquoi, bien chers jeunes, je sens le besoin irrépressible de vous exhorter, de vous convier, de vous précipiter à entreprendre le plus vite possible LA RÉVOLUTION DE L'AMOUR, seule capable de redonner à l'Homme et à l'humanité leur vrai sens, leur vraie finalité et leur vraie dignité. Or, c'est à vous, jeunes du monde, que revient la responsabilité de semer partout l'AMOUR où il y a de la haine, et de déclarer l'AMOUR partout où l'on veut déclarer la guerre. Ce n'est pas en «faisant l'amour» que vous changerez la face de la terre, mais plutôt «en faisant connaître l'Amour», CAR L'AMOUR N'EST PAS AIMÉ.

Trois exemples récents vous permettront peut-être de comprendre la puissance transformante de l'AMOUR dans des situations jugées irréversibles.

Le premier cas qui me vient à l'esprit est celui d'un Noir américain, chef universellement reconnu des Panthères Noires, Eldridge Cleaver. Cet homme avait rejeté la société dans son ensemble et tous les moyens pacifiques de changer la condition des peuples noirs, non seulement aux États-Unis, mais aussi dans le reste du monde. Voué à la haine par conviction et par *vocation*, il n'a rien épargné pour semer la terreur et promouvoir la révolte haineuse des populations sous-développées, exploitées et humiliées. Il est devenu le symbole de la révolte noire jusqu'au jour du triomphe de l'AMOUR. C'est sa rencontre personnelle avec Jésus-Christ qui a changé radicalement le coeur de cet homme et la nature de son action révolutionnaire. Il est passé du leadership terroriste au leadership évangélique. Aujourd'hui, cet homme ne sème plus la terreur: il sème à pleines mains dans les coeurs la parole libératrice du Verbe de Dieu, le Seigneur Jésus-Christ. Conclusion: l'AMOUR est plus fort que la haine, la CROIX plus puissante que le poignard et LA RÉVOLUTION DE L'AMOUR plus efficace que la révolution de la terreur.

Le deuxième cas a été révélé au monde lors de la béatification du grand apôtre Maximilien Kolbe. On se souviendra que cet homme mourut dans un camp de concentration nazi après avoir consenti, par AMOUR, à s'offrir comme remplaçant d'un père de famille condamné à mort. Savez-vous, bien chers jeunes, quel fut le témoignage décisif qui conduisit le Pape à béatifier ce saint prêtre? Ce fut le témoignage personnel et la conversion radicale de l'officier nazi qui lui avait donné l'injection de cyanure qui devait mettre fin à ses jours. Le témoin dont je parle était reconnu comme l'un des officiers nazis les plus cruels et les plus antireligieux, mais c'est l'AMOUR manifesté par le Père Kolbe qui réussit à transformer son coeur de pierre en coeur de chair, sa cruauté en tendresse et son incroyance en foi vivante et militante. Conclusion: rien ne résiste à l'AMOUR, car l'AMOUR est plus fort que la mort!

Le troisième cas est arrivé tout dernièrement, lors de la tentative d'assassinat du Pape Jean-Paul II par un jeune terroriste turc, dont le rôle et la participation à un complot international sont difficiles à préciser avec exactitude. Quoi qu'il en soit, ce geste criminel, qui a soulevé la consternation et l'horreur de toutes les nations de la terre, n'a su provoquer qu'une seule réaction dans le coeur de la victime lorsqu'il a pu retrouver l'usage de la parole et la lucidité post-opératoire: «Je pardonne à cet homme et à ceux qui l'ont incité!» Sans aucun doute, le plus grave attentat du siècle fut l'occasion du plus beau geste de miséricorde que l'AMOUR puisse inspirer au coeur de l'Homme!

Voilà en peu de mots quelles sont les possibilités que vous offre, à vous, bien chers jeunes, LA RÉVOLUTION DE L'AMOUR! De telles transformations ne pourront jamais être provoquées par la science ou la technologie. Seule la grâce est capable de telles prodiges, car la grâce est la mise en oeuvre de l'AMOUR rédempteur et libérateur, qui jaillit sans cesse du coeur de Dieu.

VOILÀ CE QUE RÉVÈLE L'ÉVANGILE!
VOILÀ CE QUE CONFIRME LA VIE!

Un dernier exemple me vient à l'esprit pour terminer ce chapitre. Il prouve que LA RÉVOLUTION DE L'AMOUR est la révolution la plus définitive que connaîtra le genre humain.

Lorsque la Russie soviétique menaçait d'envahir la Pologne par ses chars d'assauts et ses troupes de choc, le grand Jean-Paul II adressa un message de feu à son cher peuple polonais:

> «Si jamais l'armée soviétique mettait en oeuvre son offensive contre le peuple polonais, je me rendrais moi-même en Pologne et j'inviterais 100 000 Polonais avec moi sur les frontières menacées. Je vous assure qu'il suffirait d'élever 100 000 icônes de la Vierge devant la puissance des troupes soviétiques pour mettre un terme définitif à cette invasion!»[1]

Qu'avons-nous donc à craindre si nous avons la Foi? Qu'avons-nous donc à redouter si nous croyons inconditionnellement à la puissance irrépressible de l'Amour?

CHERS JEUNES,
JE DÉCLARE OUVERTE AUJOURD'HUI MÊME
LA RÉVOLUTION DE L'AMOUR!

---

(1) *Bulletin de Nouvelles*, Radio-Vatican, le 22 mars, 1981.

Oui ce jour viendra

auteur inconnu

REFRAIN: *Oui ce jour viendra*
Oui on sera là
Pour chanter Alléluia oh! oh! oui
Pour chanter alléluia!

1. *Verrons-nous le règne un jour?*
   Oh! oui, verrons-nous le règne de l'Amour
   oh! oh!

2. *Croirons-nous à toi un jour?*
   Oh! oui, croirons-nous à toi un jour, oh! oh!

3. *Vivrons-nous d'Amour un jour?*
   Oh! oui, vivrons-nous d'Amour un jour,
   oh! oh!

4. *Verrons-nous ton règne d'Amour?*
   Oh! oui, verrons-nous ton règne d'Amour,
   oh! oh!

5. *Aimerons-nous pour vrai un jour?*
   Oh! oui, aimerons-nous pour vrai un jour,
   oh! oh!

6. *Fêterons-nous l'Amour un jour?*
   Oh! oui, fêterons-nous l'Amour un jour,
   oh! oh!

CONCLUSION

L'APOTHÉOSE DE L'AMOUR

C'est le Pape Jean-Paul II qui déclarait dans son encyclique *LE RÉDEMPTEUR DE L'HOMME* que: «ce dont le monde a le plus besoin c'est l'*AMOUR*».[1] Or, cet Amour, l'Homme ne peut se le donner à lui-même; il doit nécessairement le puiser aux sources intarissables de la Trinité elle-même. C'est l'«*AMOUR-AGAPÈ*», jailli de la plénitude des Trois, qui seul est en mesure d'assouvir la soif d'aimer et d'être aimé que connaissent à la fois chaque homme et l'humanité tout entière.

LA RÉVOLUTION DE L'AMOUR, dont nous avons tenté de présenter certains aspects majeurs au cours de cet ouvrage, reste le moyen possible pour les jeunes d'aujourd'hui de BÂTIR ENSEMBLE UNE SOCIÉTÉ FRATERNELLE plus juste, plus aimante et plus authentique. «Seul l'Amour construit, seul l'Amour rapproche, seul l'Amour fait l'union des hommes dans la diversité».[2]

Pour arriver à vivre concrètement cet Amour, les jeunes ont besoin de MODÈLES qui incarnent cet idéal; ils ont besoin aussi de MOYENS efficaces qui demeurent accessibles; ils ont encore besoin de SOUTIENS solides qui assurent la persévérance dans l'effort.

LES MODÈLES:

L'AMOUR a trouvé son apothéose sur la Terre des Hommes en la Personne adorable de Jésus-Christ. Parfaitement Dieu et parfaitement Homme, Il a uni dans sa seule PERSONNE tout ce que l'Amour divin a de plus sublime et tout ce que l'Amour humain a de plus parfait. Il a vécu l'Amour selon ses exigences les plus profondes, car «il n'y a pas d'Amour plus grand que de donner sa vie pour ceux qu'on aime».[3]

En Lui s'est manifesté d'une façon visible et sensible l'Amour de Dieu le Père pour nous; à cause de Lui, l'Amour de Dieu a été répandu en nos coeurs par l'Esprit Saint.[4]

Mais Il est allé encore plus loin pour témoigner de son

---

(1) Jean-Paul II, *Rédempteur de l'Homme,* Introduction.
(2) Jean-Paul II, Discours aux Jeunes, Palais des princes, Paris, 1980.
(3) Jean 15:13
(4) Cf. Jean 3:16; 1 Jean 4:9; Romains 5:5

Amour d'une façon durable et accessible: la veille de sa mort, Il a institué le sacrement de l'Eucharistie et nous l'a laissé en héritage par le ministère du Sacerdoce de l'Église.

> **«Ceci est mon Corps, prenez et mangez;**
> **Ceci est mon Sang, prenez et buvez;**
> **Faites ceci en mémoire de moi**
> **JUSQU'À CE QUE JE VIENNE.»** [1]

Jésus se rend donc présent, accessible et recevable dans la Sainte Eucharistie, tant au coeur de la Messe par la communion, qu'au sein du Tabernacle par sa présence réelle. C'est pourquoi le Concile Vatican II affirme solennellement que «l'Eucharistie est le CENTRE et le SOMMET de toute la vie de l'Église et de sa divine Liturgie.» [2]

Jésus est là, Jésus t'attend, Jésus te convie au Banquet de l'Amour comme SOURCE et comme SOMMET de ta propre vie spirituelle et de toute ton existence humaine. Il se veut présent à tout ton être comme Ami, comme Frère, comme Modèle et comme Soutien. Il demeure toujours prêt à te dynamiser de la puissance de sa Résurrection! Quand tu reçois son Corps et son Sang, tu reçois la plénitude de son Humanité et de sa Divinité, donc la plénitude de son Amour humano-divin.

En plus du sacrement de l'Eucharistie, Jésus nous a témoigné son Amour incommensurable en nous donnant comme Mère, sa propre Mère, MARIE. Du sommet de la Croix, Il exprime sa dernière volonté:

> **«Voyant sa mère et près d'elle son disciple bien-aimé,**
> **Jésus dit à sa mère: «Femme, voici ton fils». Puis Il**
> **dit au disciple: «Voici ta mère». À partir de cette**
> **heure, le disciple la prit chez lui».** [3]

À travers le disciple qu'Il aimait, Jésus s'adressait à tous ses disciples d'hier, d'aujourd'hui et de demain. Chaque disciple est donc interpellé par le Maître d'accueillir sa Mère chez soi. Il veut que sa mère devienne notre Mère car elle est indissociablement unie à son Fils depuis le moment de l'Incarnation jusqu'à l'achèvement complet de la Rédemption, donc, jusque dans la Gloire et dans la Vie Éternelle.

«Mère du Rédempteur et de tous les rachetés, Mère du Sauveur et de tous les sauvés, Mère de la Tête et Mère de

---

(1) Matthieu 26:26-27; 1 Corinthiens 11:24-26
(2) Décret La Sainte Liturgie, no 10.
(3) Jean 19:26-27

tous les membres du Corps Mystique, elle porte à juste titre le nom de MÈRE DE L'ÉGLISE».[1]

En elle, l'Amour rédempteur et sauveur de Jésus-Christ trouve son APOTHÉOSE la plus parfaite, car de toutes les créatures humaines, elle est la seule qui a correspondu à la perfection au plan salvifique universel conçu par le Père, réalisé dans le Fils et actualisé par l'Esprit.

> **«Le Seigneur a jeté les yeux sur son humble servante et désormais toutes les générations me déclareront bienheureuse».[2]**

Trois mots et quatre attitudes peuvent nous faire comprendre un peu mieux en quel sens Marie nous est révélée comme Modèle de l'Amour.

ECCE:

L'évangéliste Luc présente Marie comme la jeune Vierge qui, tout attentive à Dieu, accueille le message de l'Ange Gabriel dans un esprit de disponibilité totale à la *Présence* face à l'Être aimé. *Ecce:* me voici! Je suis ta servante. Mon Amour pour Toi se veut présence d'écoute, présence de communion, présence de service, présence de joyeux abandon à tout ce que Ton Amour veut opérer en ma personne et en ma vie!

FIAT:

Qu'il me soit fait selon ta Parole, car ta Parole est Vérité et Vie. Ta Parole est toute-puissance, capable de réaliser en moi, même l'impossible. Tu veux que je devienne *mère* tout en demeurant *vierge*? Je ne sais, ni quand ni comment, Tu peux opérer une telle merveille en mon corps et en ma personne, mais je consens volontiers, par Amour, à tout ce que Tu attends de moi, puisque je sais que Toi seul peux l'accomplir. Mon Amour pour Toi est sans condition et sans limite. Je m'abandonne librement aux desseins d'Amour que je ne comprends pas mais que je reçois dans la Foi.

MAGNIFICAT:

Mon âme exalte ton Nom, Seigneur mon Dieu, et je tressaille de joie à la seule pensée que Tu veuilles te servir de moi comme instrument de ton Amour miséricordieux. Mon Amour pour Toi me comble d'allégresse car je ne fais que

---

(1) Paul VI: Décret Apostolique, Marie, Mère de l'Eglise.
(2) Luc 1:48

répondre à l'initiative de l'Amour dont Tu m'as aimée le premier.

MARIE: MODÈLE DE DISPONIBILITÉ, D'OBÉISSANCE ET DE JOYEUX ABANDON.

Le Pape Paul VI présente aussi la Vierge Marie comme MODÈLE aux croyants en raison des quatre attitudes fondamentales qui caractérisent sa relation d'Amour avec Dieu.[1]

1) Marie est la *Virgo audiens*, la Vierge qui écoute, qui accueille la Parole de Dieu avec foi: une foi qui fut pour elle l'acte préliminaire et le chemin conduisant à la maternité divine.

2) Marie est la *Virgo orans,* la Vierge priante car c'est au coeur de la prière qu'elle reçoit la visite de l'Ange à Nazareth; c'est par la prière qu'elle obtient le premier miracle de Jésus à Cana; c'est en état de fervente prière qu'elle vit l'événement de la Pentecôte avec les 120 réunis au Cénacle à Jérusalem. C'est toujours dans la prière qu'elle exerce sa puissance d'intercession pour le salut du monde entier, maintenant qu'elle est élevée dans la Gloire auprès de son Fils bien-aimé Jésus, Notre-Seigneur.

3) Marie est la *Virgo pariens*, la Vierge-Mère, c'est à dire celle qui, par sa foi et son obéissance, a engendré sur la terre le Fils du Père, sans connaître d'homme, mais enveloppée par l'Esprit-Saint; maternité prodigieuse, établie par Dieu comme type et modèle de l'Église.

4) Marie enfin est la *Virgo offerens*, la Vierge qui offre son Fils au Père dans la Présentation au Temple et au sommet du Golgotha lors du Crucifiement. Marie continue à offrir son Fils à tous les hommes de tous les temps car en Lui seul est le salut, la rédemption et la vie éternelle.

MARIE, MODÈLE de l'ÉGLISE DEVIENT, PAR LE FAIT MÊME, MODÈLE DE TOUS LES MEMBRES DE L'ÉGLISE par la qualité de sa fidélité à la Parole, de sa fidélité à la prière,

---

(1) Paul VI: Exhortation Apostolique, Le Culte marial, 1ère partie, section 2, nos 16 à 20.

de sa fidélité à donner le Christ au monde et de sa fidélité à l'oblativité, signe de sa maturité totale et de son plein épanouissement dans les voies de l'Amour. EN MARIE ÉCLATE L'APOTHÉOSE DE L'AMOUR TRINITAIRE
EN MARIE SE MANIFESTE L'APOTHÉOSE DE L'AMOUR HUMAIN TRANSFIGURÉ PAR LA GRÂCE. EN MARIE SE CONCRÉTISE LE TYPE ET LE MODÈLE DE L'AMOUR QUI ATTEINT LE SOMMET!

> «Salut, Marie comblée de grâce,
> Le Seigneur est avec toi;
> Béni, le fruit de tes entrailles,
> JÉSUS NOTRE SAUVEUR ET NOTRE ROI!

LES MOYENS:

Pour arriver aux sommets de cet «*Amour-agapè*», il ne suffit pas de contempler les modèles proposés, ni seulement de les imiter dans leurs attitudes profondes; il faut aussi prendre les moyens efficaces qui s'appellent la PRIÈRE, les SACREMENTS, l'ASCÈSE et l'ENGAGEMENT.

Les premiers chrétiens ont compris très rapidement qu'ils se devaient d'être «assidus à la prière, à l'enseignement des Apôtres, à la communion fraternelle et à la fraction du pain».[1]

LA PRIÈRE:

À relire les Actes des Apôtres et les Epîtres, il est facile de se rendre compte de la nécessité et de l'efficacité de la prière sous toutes ses formes; prière personnelle et communautaire, prière d'adoration et de louange, prière d'intercession et d'action de grâce. En toutes occasions, la prière assurait non seulement la communion constante avec Dieu, mais aussi le rayonnement apostolique des communautés priantes à travers le monde. Sans la prière, la croissance spirituelle s'arrête et la vie spirituelle se flétrit. Sans la prière, l'apostolat n'est plus que vain activisme sans fruit durable et sans efficacité pour le salut du monde.

La vie de prière, l'esprit de prière et la persévérance dans la prière deviennent donc des conditions essentielles pour que la RÉVOLUTION DE L'AMOUR aboutisse réellement à la CIVILISATION DE L'AMOUR. Vouloir négliger la prière

---

[1] Actes 2:42

pour favoriser le travail et l'action, c'est sombrer dans l'illusion et compromettre certainement l'oeuvre d'évangélisation confiée par le Christ à l'Église et à chaque baptisé.

LES SACREMENTS:

Chacun des sacrements est un signe sensible institué par Jésus-Christ pour nous donner la grâce absolument nécessaire à notre croissance vers la pleine maturité de la Charité. Parmi les sept sacrements, il y en a deux, qu'il est vital de recevoir avec assiduité et aussi fréquemment que possible: l'Eucharistie et le sacrement du pardon.

Le Pape Jean-Paul II consacre une partie importante de son encyclique *Dieu riche en miséricorde* à faire comprendre la puissance de l'Amour miséricordieux agissant dans ces deux sacrements et la signification qu'ils prennent dans la vie de l'Église ainsi que dans la vie des fidèles.

«L'Église vit d'une vie authentique lorsqu'elle professe et proclame la miséricorde, attribut le plus admirable du Créateur et du Rédempteur, et lorsqu'elle conduit les hommes aux sources de la miséricorde du Sauveur, dont elle est la dépositaire et la dispensatrice. Dans ce cadre, la méditation constante de la Parole de Dieu, et surtout la participation consciente et réfléchie à l'Eucharistie et au sacrement de pénitence ou de réconciliation, ont une grande signification. L'Eucharistie nous rapproche toujours de cet AMOUR plus fort que la mort: «Chaque fois en effet que nous mangeons ce pain et que nous buvons cette coupe», non seulement nous annonçons la mort du Rédempteur, mais nous proclamons aussi sa Résurrection, dans «l'attente de sa venue dans la gloire». La liturgie eucharistique... atteste l'*inépuisable amour* en vertu duquel Il désire toujours s'unir à nous et ne faire qu'un avec nous, allant à la rencontre de tous les coeurs humains. C'est le sacrement de la pénitence ou de la réconciliation qui aplanit la route de chacun, même quand il est accablé par de lourdes fautes».[1]

---

(1) Jean-Paul II: Dieu riche de miséricorde, no 13; toute la septième partie du document élabore cet enseignement. Le Pape renvoie les fidèles à sa première encyclique Le *Rédempteur de l'Homme*, 20 au complet.

L'ASCÈSE:

Pour tendre efficacement aux sommets de l'Amour, le vrai disciple du Christ est prêt à accepter les trois grands moyens ascétiques recommandés par Jésus-Christ Lui-même: le jeûne, le renoncement à soi-même et la mort au péché.

En effet, Jésus s'est imposé quarante jours de jeûne avant de commencer son ministère public. Grâce à cette ascèse, fortifié aussi par la Parole de Dieu, Il a surmonté les trois grandes tentations du Malin: la tentation de *l'avoir*, du *savoir* et du *pouvoir*. Or, le disciple n'est pas plus grand que la Maître et ne peut compter vaincre l'ennemi sans prendre les mêmes moyens que Jésus. C'est aussi le jeûne que Jésus recommande à ses apôtres lorsque ces derniers lui avouent leur impuissance à chasser un démon d'une personne possédée: «Ce genre de démon ne se chasse que par le jeûne et la prière».[1]

Ajoutons de plus que l'Amour véritable ne peut croître ni s'exprimer qu'après un choix prioritaire; dès lors qu'on pose des priorités, on accepte d'éliminer ou de reléguer au second plan ce qui compromet la réalisation de son choix préférentiel. Voilà ce que Jésus Lui-même nous enseigne: «Celui qui veut être mon disciple qu'il se renonce soi-même, qu'il prenne sa croix et qu'il me suive».[2] Ailleurs encore, Jésus dit explicitement: «Nul ne peut servir deux maîtres, Dieu et Mamon».[3] Dès lors, la RÉVOLUTION DE L'AMOUR ne peut se poursuivre avec un coeur partagé. La priorité étant clairement établie il faut être prêt même à tout quitter — son père, sa mère, ses champs, ses biens, pour suivre le Christ jusqu'à la cime de l'«agapè».

Parmi les plus grands obstacles à l'amour, il faut bien reconnaître l'orgueil, l'égoïsme, la sensualité, la domination. C'est pourquoi, l'«Amour agapè» implique deux choses: la mort à soi-même et à tout ce qui constitue le vieil homme en soi. L'ascèse a précisément pour fonction de déraciner les vices, les défauts, et même les racines du péché, qui compromettent le véritable équilibre et le plein épanouissement de sa personne dans toute la liberté des enfants de lumière et des enfants de Dieu. Sur ce point Jésus est aussi explicite que sur les autres: «Si le grain ne meurt, il ne peut porter de

---

(1) Cf. Matthieu 17:21; Marc 9:29
(2) Matthieu 10:37-39; Luc 9:23
(3) Matthieu 6:24-25

fruit». [1]

Ce qu'il est essentiel de comprendre par cette expression *la mort à soi-même*, ce n'est pas la destruction de sa personnalité, de ses talents, de ses aptitudes, ni de sa liberté radicale, mais bien l'éradication complète des habitudes de péché qui étouffent et empoisonnent nos capacités profondes d'aimance. Il n'y a pas de grand Amour possible sans mort à soi-même; il n'y a pas de saint Amour sans souffrance, sans croix et sans ascèse!

L'ENGAGEMENT:

Peut-on parler sérieusement d'Amour sans au moins aborder le thème de l'engagement? Trop de gens rêvent en couleurs, se contentent de pieux souhaits ou même aspirent vers un idéal sublime sans jamais consentir à un engagement sérieux, responsable, parfois même, douloureux. L'apothéose de l'Amour se situe au coeur même de l'Alliance conclue par Amour entre Dieu et son Peuple, entre le Christ et son Église. De par sa nature même, toute alliance implique engagement et plus l'alliance est noble et sainte, plus l'engagement doit se radicaliser dans l'Amour.

Pas d'engagement sans dégagement!

Pas de dégagement sans dépassement!

Pas de dépassement sans une motivation suffisante, cette motivation trouvant ses raisons dans le coeur, dans l'affectivité, dans l'Amour lui-même.

LES SOUTIENS:

La poursuite de l'Amour parfait ne peut être envisagée de façon réaliste sans compter sur des soutiens solides, responsables et inébranlables. Jésus-Christ connaissant le coeur de l'Homme n'a pas voulu le laisser seul face aux exigences de l'Amour, face aux difficultés de la vie. Il a d'abord prévu le don incréé de son Esprit comme soutien, guide, consolateur et défenseur, autant de facettes diverses d'une même réalité qu'Il nomme PARACLET. [2]

Mais, de plus, le Christ sait bien que l'Homme a besoin d'appui sensible, visible et accessible. C'est pourquoi il a constitué la communauté des croyants en Église qui est à la fois *Corps Mystique* et *Peuple de Dieu*. Seul l'«Amour-agapè»

(1) Jean 12:24
(2) Jean 16:4-19

peut unir dans leurs diversités les membres très divers de ce Corps et les personnes très différentes de ce peuple. Impossible d'aimer vraiment Dieu de tout son coeur sans aimer son prochain du même Amour dont Il nous a aimé le premier. Voilà ce qui fait l'objet spécifique du *commandement nouveau* laissé par Jésus à ses disciples la veille de sa mort: «Je vous laisse une loi nouvelle c'est de vous aimer les uns les autres du même Amour dont je vous ai aimé le premier».[1] La communauté des croyants constitue le premier soutien pour pouvoir aimer toujours plus et mieux et gravir ainsi la montagne lumineuse de l'«Amour-agapè».

Mais Jésus a aussi pourvu son Église de pasteurs et de guides dont la sagesse et la prudence assurent un soutien favorable à tous ceux qui recherchent les voies de la perfection. À Pierre et à ses successeurs il a donné l'ordre: «Pais mes agneaux, pais mes brebis».[2] Il est intéressant de noter que cet impératif pastoral est précédé d'une question directe répétée trois fois: «Pierre, m'aimes-tu plus que ceux-ci?»[3] Il est donc clair que Jésus attend un Amour d'une qualité remarquable chez ses pasteurs afin de soutenir et de guider les fidèles en quête de l'Amour le plus parfait. Par les ministères variés du Pape, des Évêques, des Prêtres et des Diacres, c'est Jésus Lui-même, le Bon Pasteur, qui conduit toute la bergerie et qui se soucie également de celles qui n'en font pas encore partie. Dans notre marche collective vers LA CIVILISATION DE L'AMOUR c'est sur eux que chacun a le droit de compter pour arriver en toute sécurité au terme tant désiré.

En plus du soutien de la communauté, de ses chefs et de ses pasteurs, chacun peut compter sur le soutien de ceux qui nous ont précédés dans la gloire. En effet, la vie des saints sert non seulement de modèle dans la poursuite de l'Amour mais, de plus, leurs exemples nous stimulent à l'héroïsme et leur intercession nous soutient dans nos luttes. N'oublions pas que les saints sont nos frères et nos soeurs et que la *communion des saints* permet une interaction dynamique entre les membres de l'Église militante et ceux de l'Église triomphante. TOUS UNIS EN JÉSUS SAUVEUR, nous sommes membres d'un même Corps et nul ne peut dire à l'autre: «Je n'ai pas besoin de toi».[4] Leur assistance nous est acquise,

(1) Jean 15:12
(2) Jean 21:17
(3) Jean 21:15, 16, 17
(4) I Corinthiens 12:20-21

leur intercession nous est bénéfique et leur Amour nous interpelle vers les mêmes sommets glorieux.

Pour terminer ce modeste ouvrage qui s'est voulu une mise en marche de LA RÉVOLUTION DE L'AMOUR, citons le discours de Jean-Paul II aux étudiants à l'Université des Nations unies, à Tokyo:

> «La construction d'une humanité plus juste ou d'une communauté internationale plus unie n'est pas un simple rêve ou un vain idéal. C'est un impératif moral, un devoir sacré que le génie intellectuel et spirituel de l'homme peut affronter grâce à une nouvelle mobilisation générale des talents et des forces de tous et à la mise en oeuvre de toutes les ressources techniques et culturelles de l'homme.

UNE QUESTION D'AMOUR...

> La construction d'un nouvel ordre social suppose, en plus des capacités technologiques essentielles, une haute inspiration, une motivation courageuse, la foi en l'avenir de l'homme, en sa dignité et dans son destin. C'est au coeur et à l'esprit de l'homme qu'il faut parvenir, au-delà des divisions provoquées par des intérêts individuels, des égoïsmes et des idéologies. En un mot, il faut aimer l'homme pour lui-même. Voilà la valeur suprême que tous les humanistes sincères, les généreux penseurs et toutes les grandes religions entendent promouvoir. L'amour de l'homme en tant que tel est au centre du message de Jésus-Christ et de son Église: ce rapport est indissoluble.»[1]

«SEUL L'AMOUR DURE TOUJOURS, SEUL, IL CONSTRUIT LA FORME DE L'ÉTERNITÉ DANS LES DIMENSIONS TERRESTRES ET FUGACES DE L'HISTOIRE DE L'HOMME SUR LA TERRE».

Jean-Paul II

«Si je n'ai pas l'Amour, je ne suis rien...» [2]

---

(1) Jean-Paul II, Discours aux étudiants de l'Université des Nations unies, Tokyo, 25 février 1981, *L'Église Canadienne,* 28 mai 1981, pp. 581-582.
(2) I Corinthiens 13:3

QUELQUES SUGGESTIONS D'OUVRAGES

Il serait bon que vous complétiez l'information que vous livre ce message sur l'Amour et le respect de vous-mêmes et des autres, en parcourant un certain nombre d'ouvrages, bien à point, susceptibles de vous éclairer et de vous guider dans la conduite de votre propre vie.

Je me permets de vous en suggérer un certain nombre, en y ajoutant une brève appréciation ou analyse.

LA VIE, QUELLE MERVEILLE!, du docteur MELOCHE.
Ce livre décrit, avec trente ans d'avance, ce que la science médicale a depuis confirmé et que l'auteur, dans sa foi, pouvait déjà avancer comme hypothèse de travail.

AU SERVICE DE L'AMOUR, du docteur J. CARNOT.
Une belle illustration de la dimension et des exigences d'un amour pleinement vécu.

LA LIBÉRATION SEXUELLE ET L'AMOUR
Cet ouvrage d'un médecin québécois, le docteur JULES-BERNARD GINGRAS, développe les dimensions de la sexualité et les moyens de la contrôler, pour vivre le défi de l'amour.

L'ÉDUCATION SEXUELLE DANS L'ENSEIGNEMENT DE L'ÉGLISE, de JEAN-YVES SIMARD.
L'auteur s'inspire de la pensée de Jean-Paul II, qui a traité ce sujet lorsqu'il était archevêque en Pologne, au moment de son apostolat auprès des jeunes intellectuels de son pays.

LES MÉDECINS SONT FAITS POUR SOIGNER ET NON POUR TUER
Voici le compte rendu d'un symposium sur le respect de la vie humaine qui a réuni 3 600 médecins du Québec. Vous pouvez l'obtenir gratuitement en écrivant au Centre Pro Vita, à Victoriaville.

LE LIVRE ROUGE DE L'AVORTEMENT
Publié par le même groupe de médecins, cet ouvrage précise la position des médecins catholiques du Québec et du monde entier face au problème de l'avortement.

FOETUS MON FRÈRE, FOETUS MA SOEUR
Présenté par LÉO FOSTER, président de la Journée nationale du respect de la vie.

S'AIMER CORPS ET ÂME, du Docteur NORMAN.
Excellent ouvrage qui ouvre les voies de l'amour, suivant l'orientation donnée dans ce message.

Achevé d'imprimer
en juin mil neuf cent quatre-vingt-un
sur les presses de l'Imprimerie Gagné Ltée
Louiseville - Montréal.
Imprimé au Canada